Boken om Blanche och Marie

PER OLOV ENQUIST

Boken om Blanche och Marie

ROMAN

NORSTEDTS

ISBN 91-1-301360-2

Norstedts Förlag, Stockholm
Omslag: Elsa Wohlfahrt Larsson
ScandBook AB, Smedjebacken 2004
www.norstedts.se
*

Norstedts Förlag ingår i
P. A. Norstedt & Söner AB,
grundat 1823

Till Gunilla

DEN GULA BOKEN

I

Sången om den amputerade

1.

”Amor Omnia Vincit” – kärleken övervinner allt – hade hon skrivit på omslaget till den bruna pärmen, den som innehåller de tre anteckningsböckerna; titeln FRÅGEBOK stod ovanför med kraftigare bokstäver, textat. Det var som om två hållningar skulle prövas: den övre kraftfull, optimistisk och fullständigt neutral, den undre spröd, försiktig, nästan vädjande. Som om hon velat säga att detta är utgångspunkten, det kan vara sant, å om det bara vore sant.

Kärleken övervinner allt. Mot bättre vetande, men ändå. Det gör lite ont i hjärtat att se det, *å vore det bara sant, å om det bara vore sant.* Allt mycket ansträngt sakligt och korrekt, tills tonen brister. En gul bok, en svart – ofullständig eller censurerad – och en röd. Tillsammans en Frågebok, som handlar om Blanche och Marie. Inget mer.

Man får godta det.

Kärleken övervinner allt, som arbetshypotes, eller innersta smärtpunkt.

Två år efter det att Marie Skłodowska Curie mottagit sitt andra nobelpris, det i kemi 1911, och i samband med att hennes älskare Paul Langevin återförenades med sin hustru Jeanne, och med dennas medgivande arrangerade en mer permanent sexuell relation till sin sekreterare, drabbades Marie av en inte oväntad men dock svår förlust då hennes väninna Blanche Wittman en morgon återfanns död, i Maries våning i Paris.

Hon hade försökt ta sig ner ur sängen, ner till trälådan på hjul. Det gick inte. Och så hade hon dött.

Någon dödsorsak fastställdes aldrig, men de som hämtade hennes kropp noterade dels hennes ringa kroppslängd samt att Marie Skłodowska Curie insisterat på att själv lyfta denna amputerade torso ner i kistan. Sedan hade hon, som avsked, suttit på en stol intill den döda, med ena handen på kistlocket, medan bärarna i en timmas tid tvingades vänta i rummet intill. Hon hade inte velat förklara sig, endast mumlat *jag viker aldrig från din sida.*

Men sedan blev ju kistan utburen.

I den enda dödsruna som skrevs betecknades den döda Blanche Wittman som ett ”legendariskt fenomen”, och man noterar hennes roll som professor J.M. Charcots medium. Hon efterlämnade tre anteckningsböcker, som blev kända först mot 30-talets slut, och heller aldrig offentliggjordes i sin helhet.

Marie Curie nämner inte hennes existens i sina memoarer, som så mycket annat.

Jag klandrar henne inte.

2.

Vem vet, förresten, om Blanche Wittman själv önskat bli omnämnd.

Som notis i medicinhistorien fick hon dock efter sin död en viss berömmelse, men nämns aldrig i samband med Marie Curie, däremot alltid som "Charcots medium". En notis säger lakoniskt att hon slutade sitt liv som "martyr" och "offer" för den vetenskapliga forskningen kring radium. Hon hade, efter Charcots död och i det kaos som då uppstått beträffande den vetenskapliga inriktningen av vården på Salpêtrièresjukhuset, arbetat två år på sjukhusets röntgenavdelning, som assistent. Sedan kom hon till Marie Curies laboratorium. Där skedde några år senare upptäckten av radium. Vem kunde skilja på dödlig röntgenstrålning och dödligt radium? Det ena tog vid där det andra slutade.

Slutresultatet: martyr och torso.

Efter Charcots död 1893 dock nästan total tystnad. Hon hade de sista åren av sitt liv för avsikt att skriva en bok om kärleken. Om detta intet i samma kortfattade nekrolog. Bara "dog utan armar och ben" – inte helt korrekt, hon hade en arm kvar, den högra, varmed hon skrev ända in i det sista.

Boken blev ofullbordad. Kvar finns i dag endast tre notesblock i formatet 30 x 22 centimeter, vart och ett innehållande fyrtio sidor, sammanhållna inom en brun pärm, en Frågebok, som hon kallade den. Det första notesblocket kallar hon "Den gula boken", det andra "Den svarta boken" och det tredje "Den röda boken".

Ingen färg på omslagen. Med denna tredelade bok skulle hon berätta en historia om kärlekens natur. Det gick ju inte. Kvar blev en historia om Blanche och Marie. Om hur många liv kan man säga det? Alla har ju en historia, men få blir nedtecknade.

Det förbryllande ordet Frågebok på skyddspärmens omslag får snart en enkel förklaring. Hon hade uppenbarligen bestämt att varje avsnitt skulle inledas med en fråga. Så skulle hon besvara denna fråga så rationellt som möjligt. Frågorna skulle vara ”av yttersta vikt”. **Vilken färg hade din första klänning? Vilket var ditt första telefonnummer?** Ibland plötsliga och egendomliga avsteg: **Vad kunde man utläsa ur min fars ansikte när han företog fosterfördrivningen?** eller **Vem satt vid Charcots kista vid sorgetåget?**.

Alltid mycket konkreta frågor. De är ibland poänglösa, fram till det moment man själv lockas att svara på dem. Det är då som en lek som plötsligt blir sann och förfärande. Det beror på en själv. Fortsätter man, då rubbas balansen och kontrollen, kompassen snurrar, som vid Nordpolen. Jag har försökt. Frågan om telefonnummer kan ges ett mycket kort svar: ”Sjön 3, Hjoggböle.” Sedan blir det mycket svårt. Det är när man ska förklara det självklara som det blir långt, och skrämmande. Det ligger något hotfullt i hennes Frågebok, en lockelse att gå in i det förbjudna, eller öppna en dörr in till ett mörkt rum.

Korta frågor, utförliga svar utan egentlig förbindelse med frågan.

Hon var väl rädd. Då gör man så.

De tre notesböckerna, den gula, den svarta och den röda, är kvar. Det övriga, alltså det yttre, är rekonstruktion.

Ibland är svaren kortfattade: man får anta att hon avser att förtydliga svaret, senare, när hon får mod.

En anteckning inleds till exempel endast med frågan När?.

Svaret rör hennes läkare och älskare, professor J.M. Charcot. Hon beskriver en kort incident. Det gäller deras första möte. Första gången han såg henne, skriver hon, var genom en halvöppen dörr: hon befann sig i ett rum på Salpêtrièresjukhuset, som patient. Läkaren som behandlade henne, *och med förbryllande noggrannhet examinerade mig trots att jag ännu inte uppnått den berömmelse som senare skulle komma mig till del*, var anställd på Salpêtrièresjukhuset; han hette Jules Janet.

Hon är noga med yttre detaljer. Två rum, ett förrum, kanske omklädningsrum. Hon hade intagits på Salpêtrière efter en serie vistelser på andra anstalter för en åkomma, vilken vet vi inte, det kan ha varit samma åkomma hon senare behandlades för av Charcot. Alltså hysteri. Hon skriver det inte.

Blanche hade klätt på sig efter en undersökning.

Hon hade då sett C. passera i en korridor. Han hade vänt sig om och betraktat henne. Avståndet var knappt fyra meter. Hon visste att han sett. Hon hade fördröjt sina rörelser så att påklädningen gått mycket långsamt.

Hon hade vänt sitt ansikte bort från honom, vridit sin kropp långsamt. Hennes ena bröst hade varit till hälften avtäckt. Hon var säker på att han sett henne.

Det var då, skriver hon – som om hon hållit inne med det avgörande i mängden av detaljer – *"som jag brändes in i honom, som brännjärn i ett djur"*.

Om hennes ungdom mycket oklara besked. Men hon har bildning. Citatet om brännjärn är från Racine.

Hon hette Blanche Wittman, var vid sin bortgång 102 centimeter lång och vägde 42 kilo.

Hon var då ett slags torso, men med huvud. Hennes vänstra underben, det högra benet upp till höften och vänster arm var amputerade. Det är därför hennes längd beskrivs som ringa. I övrigt inget avvikande med henne. Tidigare, före amputationerna, betecknas hon av alla som såg henne som mycket vacker. Hon kom av vissa skäl att bli betraktad av många, också många som kunde beskriva, alltså författare. Objektivt sett finns endast ett fotografi, och ett antal teckningar, av henne. Plus den berömda målningen då hon endast ses snett från sidan.

Men hon är vacker.

Hon dog lycklig. Det är påståendet i den sista anteckningsboken, Den röda boken.

Hennes ovanligt korta längd var alltså inte medfödd. Efter att i sexton år – mellan 1878 och 1893 – ha varit inlagd på Salpêtrièresjukhuset i Paris med diagnosen hysteri blir hon plötsligt frisk. Hysteri var en vid denna tid vanlig sjukdom bland kvinnor, sjukdomen var vanlig just dessa år och drabbade närmare tio tusen kvinnor, men upphörde efter professor Charcots död att vara vanlig.

Upphörde i själva verket. Eller fick andra namn.

Efter åren vid Charcots forskningsavdelning på Salpêtrièresjukhuset hade hon arbetat inom röntgenavdelningen på sjukhuset, alltså inte längre som internerad, och 1897 blev hon anställd av den polska fysikern Marie Skłodowska Curie som laboratorieassistent.

Tiden som hysteripatient på Salpêtrière betecknar hon som lycklig, sedan följde en period som var olycklig. Efter detta kommer så laboratorietiden hos madame Curie, den var åter helt igenom lycklig, möjligtvis med avbrott för de återkommande amputationerna.

Hon klagar aldrig över att bli beskuren.

I Frågeboken vill hon berätta sin historia, summera, och jämföra sina erfarenheter från dels hysteriexperimenten på Salpêtrièresjukhuset, dels de fysikaliska under Marie Curies ledning, *för att på detta sätt skapa en läkande bild av kärlekens natur*, som hon liknade vid radiumstrålningens och hysterins.

Läkande?

I Frågebokens första del länge endast saklighet och lycka.

3.

Fakta om Blanche Wittmans amputationer är följande. De har intet med hennes försök att förklara kärlekens natur att göra.

Den 17 februari 1898 testades vid Marie Curies laboratorium i Paris för första gången strålningsverkan hos en svart, beckartad och på laboratoriet bearbetad och "kokad" malm som benämns pechblände; den bröts i trakten av Joachimsthalregionen vid gränsen mellan Tjeckslovakien och det kommande, och sedermera forna, DDR. Pechblände hade i flera århundraden använts som tillsats i keramiska glasyrer för att skapa konstnärligt intressanta färgnyanser. Pechblände var, i själva verket, en viktig färgkomponent vid tillverkningen av den berömda böhmiska kristallen: det innehöll bland annat grundämnet uran, som var viktigt i glasindustrin.

För att genomföra experimenten med pechblände, och utvinna vissa urankomponenter ur denna malm, krävdes mycket stora mängder, flera ton. Arbetet var mödosamt och smutsigt, och utfördes i ett utrymt vagnslider intill Marie och Pierre Curies laboratorium i Paris.

Det var där Blanche Wittman fick anställning.

Denna dag, den 17 februari 1898 – dagen har en viss betydelse i fysikens idéhistoria – genomförde Marie de första lyckade experimenten med pechblände, och man konstaterade att en stark, egendomlig och hittills okänd strålning kunde avläsas. Man hade redan funnit att torium, det metalliska grundämne som upptäcktes av svensken Jöns Jacob Berzelius 1829, hade starkare strålningseffekt än uran; nu fann man att pechblände skapade ännu långt starkare strålning. Starkare än också rent uran.

Vad denna "strålning" egentligen var, och varifrån den kom, återstod att undersöka. Pechblände måste, antog Marie Curie, innehålla ett speciellt ämne, ännu okänt, och med okända egenskaper.

Det var i detta lilla laboratorium upptäckten skedde. Laboratoriet var egentligen *ett gammalt träskjul, ett övergivet vagnslider av plank vars glastäckta tak befann sig i ett så bedrövligt skick att regn hela tiden genomdränkte detta eländiga skjul som Medicinska Fakulteten för länge sedan använt som obduktionslokal, men som senare ej hade ansetts värdigt att hysa mänskliga eller ens djuriska kadaver. Det hade inte något golv, marken var endast täckt av ett asfaltlager, och mobilier utgjordes av några ålderdomliga köksbord, en svart tavla, samt en gammal gjutjärnskamin med rostiga rör*; det var i denna eländiga lokal de tre år tidigare nåtts av budskapet från en professor Suess, och från den österrikiska staten som ägt gruvorna i Sankt Joachimsthal.

Budskapet var att avfallsprodukter av pechblände kunde beskäras dem. Det var här de funnit radium.

Marie skrev genast en rapport.

Hennes händer är ännu vackra. Blanche beskriver henne som en *ojämförlig skönhet som oförklarligt infångats av forskningens trolldom.* Den 18 juli 1898 kunde medlemmarna i Institut de France lyssna till en föredragning av hennes vän och tidigare mentor Henri Becquerel, som för övrigt senare fick ge namn åt en strålningsenhet avseende antal kärnsönderfall per sekund, avsedd att mäta exempelvis radioaktivt nedsmutsat renkött i det inre av Västerbotten efter Tjernobyl; och han kunde meddela att Marie Curie och hennes make Pierre genom sina experiment med pechblände funnit något nytt och hittills okänt. Rubriken på inlägget var ”Om en i pechblände ingående ny radioaktiv substans”.

Det var första gången i historien ordet ”radioaktiv” användes.

Ännu inget historiens vingsus, bara lätt förvirring.

Meddelandet i Becquerels föreläsning var att man nu funnit ett ämne som var 400 gånger mer aktivt än uran, och att det innehöll en ”metall”, kanske ett grundämne, som tidigare inte varit känt, och som besatt egendomliga strålningsegenskaper.

Mot slutet av året hade detta ämne fått ett namn. Man kallade det radium. Ämnet hade ovanliga egenskaper; allt eftersom man kunde utvinna allt högre grad av koncentration fann man också att ämnet var spontant självlysande.

Det ”självlysande” återkommer i Blanches Frågebok.

Hennes text får då en närmast poetisk karaktär. *När man någon gång under mina förevisningar på Sal-*

pêtrièresjukhuset berömt mig hade man använt uttrycket "självlysande" om det intryck jag gjort; men föga anade jag då att detta ord, liksom ånyo framlockat av ödets trollspö, skulle återvända inom den fysikens och vetenskapens värld där jag nu skulle göra min insats för att förklara sammanhangen mellan radium, död, konst och kärlek.

Radium, död, konst och kärlek. Hon vet inte vad hon talar om. Men det är väl enda sättet. Hur skulle man annars?

Döden och skönheten låg kanske mycket tätt intill varandra. Man får förlåta henne.

Marie, skriver Blanche, brukade ofta promenera från hemmet till laboratoriet vid rue Lhomond för att *inspektera sina domäner*. Blanche – då ännu inte amputerad – brukade möta henne på dessa "hemliga" besök i laboratoriet.

Hon skriver att *våra kära produkter, som vi inte hade skåp till, stod uppradade på bord och bänkar; från alla håll kunde vi se deras svagt självlysande konturer, och detta glimrande sken, som såg ut att sväva fritt i mörkret, väckte varje gång ny rörelse och förtrollning inom oss.*

Det är Blanche som skriver. Man noterar uttrycket "våra" kära produkter. Hon är dock endast assistent.

Hon skriver senare, på frågan **När blev Marie konstnär?**, att en stor förtrolighet uppstått mellan henne och Marie, nästan en kärlek, en kärlek som förstärktes inför den skönhetsupplevelse som ”Radiumets” hemlighetsfulla och färgrika strålning gav. Inför hennes ögon hade porten öppnats till en ny och gåtfull värld, och i denna värld utsändes blåskimrande signaler till den människa som var Blanche, och som då ännu ej hade blivit beskuren.

Hon tycks ha uppfattat signalerna som ett slags konstverk. Det är skapat av Marie. Inte ett ord om Pierre.

I Frågeboken finns för övrigt en kortare avdelning som inleds med frågan *Vad är då konst i vår moderna tid?*.

Hon besvarar frågan med att ge en ingående och nästan barnsligt entusiastisk skildring av 1900 års världsutställning i Paris. Texten är fylld av beundran inför det inbrytande århundradets revolutionerande vetenskapliga *landvinningar*, dessa *hisnande upplevelser och möjligheter*. Kunskaper hon fått från Marie, med tonvikten lagd på radium.

Därför uppehåller hon sig länge vid Fysikerkongressen, en del av världsutställningen.

Kring Eiffeltornet hade uppförts en mängd paviljonger: dit hörde ett elektricitetspalats, där det *magiska fluidum* (!) som kallades elektricitet uppvisades. *Vetenskap och konst ingingo där förening*. En speciell attraktion var den amerikanska dansösen Loie Fuller som dansade i ett särskilt tillverkat magiskt hus, i ett rum illuminerat av elektriska strålar färgade genom rörliga filter. En rörlig trottoar, driven av elektricitet, förde åskådaren från plats till plats. Elektriciteten illuminerade, kan man säga, detta modernitetens genombrott; hon skriver om allt detta med ett högtidligt tonfall.

Dock var det något annat, långt mer fascinerande, som drog forskare till världsutställningen.

Det var det nyupptäckta ämnet radium, och radioaktiviteten. Forskare från hela världen, skriver Blanche, kom till Paris, och kom för att uppsöka Marie och hennes make och medarbetare Pierre Curie. *Ordet för dagen var radioaktivitet.* Alla ställde sig frågan vad detta var, dessa *färgade meddelanden från en osynlig värld,* de som ännu av några kallades ”Becquerelstrålar”, de som uppträdde så irrationellt, som ibland kunde avböjas med en magnet, men ibland inte. Ett slags fluidum, hade några sagt och åter börjat tala om Mesmer; men detta tycktes ändå vara något annat, som *en nattlig dröm, det korta ögonblicket av uppvaknande när det hemlighetsfulla finns kvar men synes verkligt och sedan snabbt försvinner.*

Dessa radioaktiva strålar som kanske hade funnits i rummet och i verkligheten hela tiden! men ingen hade sett dem! *kanske hade Fedra talat om dem när hon känt att Hippolytos blivit inbränd i henne, som vore hon ett djur och han ett brännjärn.*

Det är inledningen till Den gula boken. Inga förklaringar andra än meningslöst poetiska. Hänvisningen till Racine åter mycket förbryllande.

Med tiden blev forskningen kring uran och radium något annat. Men detta var ett genombrott, *en stjärnkrets genombruten* (!) – eller kanske ett angrepp på upplysningens rationalitet.

Man förstod inte vad detta var.

Dessa strålar kunde tränga igenom täta skärmar men stoppas upp av bly! Det var känt att de kunde färga glas, pechbländet hade ju färgat de sköna böhmiska kristallglasen i århundraden! århundraden! och nu skapades blåskimrande nyanser som inte kunde rationellt tolkas.

Frågorna var många. Var det ett grundämne? Detta ämne kunde i varje fall inducera radioaktivitet i andra ämnen; Blanche hade, skriver hon, dag efter dag stått med Marie i laboratoriet. Hon hade följt Maries mätningar minut för minut och sett ett nästan förklarat leende över hennes ansikte: *och då förstod jag att hela rummet infärgats med radioaktivitet.*

Det är så hon sammanfattar. Tre års arbete med pechblände, denna smutsiga slagghög på flera ton, beskrivet som ett metafysiskt konstverk en eftermiddag i Paris.

Omstrålad av det nya ämnets skönhet hade hon så, tillsammans med sin väninna Marie, inträtt genom porten till modernitetens 1900-tal.

Marie Curie, eller ”Maria” som Blanche ibland kallar henne i Frågeboken, hade en gång tagit henne i handen, stått stilla på golvet och talat till henne, eller till sig själv. *Jag förstår icke*, hade Marie sagt, *denna strålnings nyckfullhet förstår jag icke, den uppträder spontant, som om jag stod framför en havsyta och där såg hur någonting börjar röra sig, växa upp, som om havet vore en levande varelse, ett havsdjur, eller en levande blomma, och såg bladen sträckas mot mig, och denna radioaktivitet förefaller mig bryta mot termodynamikens första regel; vad är upphovet, urkällan, till denna kraft?*

Strålningens spontana uppträdanden, hade hon sagt till Blanche, sin ännu vackra och ej amputerade laboratorieassistent vars forntid och karriär som medium på Salpêtrière redan från början fascinerat henne, är en djupt förbryllande gåta. Blanche hade tillagt: som kärleken! Men Marie hade då vänt sig mot henne med ett frågande leende, som plötsligt slocknat, som om hon först varit osäker inför denna egendomliga bild, sedan velat uttrycka ogillande. *Kanske*, menade Blanche, *eftersom hon som vetenskapsman ogillade alla poetiska metaforer och ännu icke var redo att ta steget in i konstens uppslitande och sönderslitande värld.*

Så hade de samtalat, så speglas resterna av dessa samtal i Frågeboken. Detta är innan Blanche Wittman påbörjat sitt misslyckade projekt att ge den vetenskapliga och samtidigt sinnliga förklaringen till kärlekens inneboende väsen. Så hade Marie Curie ännu tänkt och reflekterat innan hon, långt senare, bibringades en annan insikt genom Blanche, och genom Frågeboken. En insikt hon också infångades av genom sitt intresse för Blanche Wittmans kärleksrelation till professor Charcot, väninnans påstådda mord på denne, och försöken att uppnå en kärlek som inte vette mot död och destruktion.

Kärleken övervinner allt.

Ett år senare hade Blanche för första gången insjuknat. Det var oförklarligt. Den första operationen hade kostat henne höger fot.

Det var så det började.

Men länge skulle Blanche Wittman minnas den söndag eftermiddag när hon och Marie, två vackra kvinnor, ensamma i laboratoriet och hand i hand inför det oförklarliga miraklet, varit omgivna av de gåtfulla färger och strålningar som, utan att de varit medvetna därom, gestaltade modernitetens inträde i det kärlekens museum som var dessa två kvinnors ännu helt igenom fulländade kroppar.

4.

I dag vet ju alla.

Både Blanche och Marie skulle ju dö av dessa gåtfulla, sköna och lockande radiumstrålar. De som skimrade så hemlighetsfullt, men var den upptäckt som, likt en port öppnad till ett svart hotfullt rum, skulle förändra världshistorien.

Först Blanche. Sedan Marie.

Länge försökte man intet se, och allting fördölja.

Laboratoriearbetare dog i obegripligt stort antal, de flesta i leukemi, och många beskars i likhet med Blanche. Ändå betraktades denna strålning länge som hälsobringande: de radioaktiva hälsobrunnarna mycket populära, de radioaktiva flaskorna med "Curie-hårvatten" som skulle motverka håravfall mycket sålda. En "Crema Activa" utlovade "mirakel". En europeisk farmakopé från 1929 upptog åttio patentmediciner med radioaktiva ingredienser, alla var de undergörande: badsalter, liniment, stolpiller, tandkräm och chokladpraliner.

1925 hade bilden dock börjat förändras. Det året hade Margret Carlough, en ung kvinna som arbetade som färgläggare på en fabrik för väggur i New Jersey, stämt sin arbetsgivare U.S. Radium Corporation. Hon målade urtavlor med självlysande färg.

Nio tavelmålare hade redan avlidit med svåra skador i munnen som första symptom: de var ålagda att fukta den spetsiga penseln med sin egen saliv, och efter relativt kort tid hade växande och till sist alls ej självlysande kräftsår börjat uppträda. Tänder vittrade bort, kinder fick oläkliga sår, tungor svartnade, gapande svarta munnar vittnade om att den sköna självlysande färgen kanske innehöll en strålning som var dödlig.

Andra led av svår blodbrist, allt kallades senare "radiumnekros". Bolaget som tillverkade de skönt bemålade klockorna förnekade dock samband, kallade symptomen "hysteri", vilket Blanche, av eftervärlden kallad "hysterikornas drottning", kanske skulle ha betraktat som förödmjukande, kanske också som en historisk ironi.

Men om detta fick hon intet veta, hon var sedan

länge död. Detta var senare. Det är dock en förklaring till varför Blanche långsamt förlorade sina underben och sin vänstra arm. Historien hon önskade berätta, som handlar om Marie Curie, i viss mån om Jane Avril, men särskilt om Blanche och professor Charcot, dessa fyra, handlar inte om hennes förgiftning, eller ens om Maries mycket långsammare förgiftning och död. Något annat är drivkraften för hennes Frågebok.

Man kan också säga: den punkt varifrån vi betraktar berättelsen är en torso.

Jag kan tänka mig att Marie kände ett slags ansvar för henne.

Det var därför hon lät Blanche bo i hennes hem, skötte henne, talade med henne, lyssnade till hennes texter, läste i Frågeboken. Det trodde jag i varje fall i början. Men efterhand var det ju uppenbart: det fanns andra skäl för madame Marie Skłodowska Curie, dubbel nobelpristagare i kemi och fysik, att intressera sig för denna kvinna.

Blanche hade ju haft ett märkligt liv.

Hon påstod sig ha dödat Jean Martin Charcot, den världsberömde läkare som hon älskat. Hon sade sig ha fullbordat mordet av kärlek, och därmed velat staka ut en väg också för Marie, inte genom att uppmuntra till andra mord, men genom att visa vägen till den fullständiga och vetenskapliga förståelsen av kärlekens natur.

Trolldom!

5.

Det gör ont att ställa sig på sina ben och gå.

En gång hade Charcot förevisat henne för herr Strindberg. Det är den enda svenska anknytning jag kan finna till Blanche och Charcot. Experimenten med hysterifall på Salpêtrièresjukhuset blev ju offentliga, även om "offentligheten" först innebar endast en noggrant utvald skara av vetenskapligt intresserade.

Sedan blev de fler.

Då kom föreställningarna i Auditoriet. Det vetenskapligt granskade objektet var inte en särskild kvinna, utan Kvinnan, och dennas natur.

Ryktet om experimenten hade spritt sig bland intellektuella i Paris, och ryktet hade sagt – detta var på hösten 1886 – att vissa experiment nu gjordes som visade att kvinnan "i viss mån var att betrakta som en maskin, att vissa känslor kunde framkallas genom maskinella påverkningar, så att man genom att trycka på vissa punkter, sinnrikt uttänkta, skapade ett framkallat känsloframfall. Inte bara så att dessa känslor kunde framkallas, utan också återkallas, så att de hysteriska och konvulsiviska anfallen därigenom bevisade att kvinnan, just genom sin flykt in i hysteri och sitt vetenskapligt kontrollerade uttåg ur densamma, kunde förstås, tecknen avläsas och kontrolleras."

För första gången fanns möjligheten att kartlägga kvinnans mörka och okända kontinent, på samma sätt som upptäcktsresande, som Stanley! hade kartlagt delar av Afrika.

Bilden av den geografiska upptäcktsresanden återkommer ständigt.

Så hade ryktet spritt sig, och i viss mån förstärkts av att dessa kvinnor *i sina hysteriska tillstånd utvisade nakenhet, men att detta var vetenskapligt motiverat och ej att jämföra med osedlighet.*

På detta sätt hade också allmänt intresse uppstått.

Ryktet talade på ett sätt osant. Charcot menade, hade hans anhängare påpekat, inte alls att kvinnan endast var en maskin, med tryckpunkter, men att människans inre kunde besökas! genom detta mekaniska betraktelsesätt! som ett nedstigande i Hekla! en tunnel nedåt! som den kände vetenskapsmannen Jules Verne bevisat! Kanske var han författare. Men varför dessa rigida gränser mellan konst och vetenskap! Jordens medelpunkt liknade människans! så var det.

Att experimenten endast var första dagsetappen i en längre, mycket farlig expedition in till den mörka gåta som var människans medelpunkt.

Professor Charcot var inte naiv. Han var granskad. Sådana upplysningsmän kan ej tillåta sig naivitet.

Experimenten var offentliga i viss utsträckning. Blanche hade fått veta att den beryktade men intressante herr Strindberg skulle närvara, och hade också noterat honom.

Han stod långt bak och såg spänd men avvisande ut.

Hon hade negligerat honom. Efter föreställningen hade han inte approcherat henne och tackat, eller språkat. Därför hade hon nästan glömt honom, ända tills någon berättat att experimenten, och hon, gjort ett så starkt intryck på honom att de senare avfärgat sig, eller snarare infärgat sig, på ett par av hans teaterstycken.

Ett hette ”Brott och brott”, ett annat hette ”Inferno”. Nej.

Hon hade glömt titlarna.

Charcots assistent Sigmund, som var tysk eller österrikare, hade varit särskilt upphetsad eftersom han bedömt denne svenske författare som mycket viktig, nästan som Ibsen, den näst störste bland skandinaverna. Liksom denne var Strindberg intensivt sysselsatt med studier i kvinnans natur, och kärlekens. Den tyske eller österrikiske assistenten hade dock påpekat för Blanche att Ibsen i viss mån alltid betraktat kärleken som ett maktspel, vilket gjorde honom till en habil men i grunden ointressant konstnär, närmast en politisk skribent. Och att herr Strindberg, som uppenbarligen på många sätt var obalanserad, ofta kunde framskriva intressantare repliker än norrmannen i denna fråga.

Varför, hade Blanche frågat.

På grund av sin skräck för kvinnan, och sin insikt att hon är ett outforskat landskap där man måste eftersöka den okända punkt i människans stora berättelse varifrån det skrämmande och oförklarliga blir logiskt, hade Sigmund svarat.

Experimentet hade varit mycket lyckat. Herr Strindberg nästan osynlig bland åskådarna.

Blanche hade uppnått, med lätthet, det tredje katatoniska stadiet, som sedan återkallats. När det var över hade hon betraktat auditoriet, och särskilt herr Strindberg. *Under några ögonblick observerade jag att hans mun liksom andlöst öppnade sig, och att hans blick inte längre var genomborrande, men heller inte uttryckte medkänsla med mig, en liten syster i yttersta nöd. Jag erinrade mig då plötsligt min bror, som jag annars aldrig minns, avhuggen som han är från min kärlek och mina minnen.*

Det var enda gången Blanche kommit i direkt kontakt med en svensk, eller med en skandinav överhuvud, men det kan ha präglat hennes syn på nordbor i samband med händelserna vid Maries andra nobelpris och svenskarnas försök att återkalla priset för kärlekens skull.

6.

Av Frågeboken framgår att Blanche redan som sextonåring blev befruktad.

Hennes far, som var apotekare och på många sätt höll av sin dotter, genomförde då, på hennes enträgna uppmaning, en abort på dottern.

När han förde in instrumentet i henne hade han börjat gnola på en melodi som hon trodde var hämtad från Verdi.

Hon hade då blivit rädd, eftersom hon insåg att också fadern, som ju endast i viss mån var ansvarig för situationen och till sist tvingats ge efter för hennes *tårfyllda böner och vädjanden till hans faderskänslor,* var besinningslöst skräckslagen. Det var dock en annan skräck än herr Strindbergs.

I övrigt mycket sparsamma upplysningar om fadern.

Blanche efterlämnade heller inga egna barn. Året innan hon intogs på Salpêtrièresjukhuset hade hon, mellan ett par andra asylintagningar, för första gången på många år återvänt till barndomshemmet, enär fadern låg döende. Han var mager och gul och *tidigare född i London,* ett egendomligt språkligt uttryck. Han hade velat att hon skulle sitta på en stol intill sjuksängen och vaka. När han bett om detta hade hon häftigt rest sig och lämnat rummet, och återvänt först följande dag.

Varför, hade han då frågat; hon hade inte svarat.

Hon hade hämtat filtar och lagt sig på golvet intill hans säng och sovit. Är du där, hade han ropat; hon hade inte svarat. Jag vet att du är där, hade han upprepat en timma senare. Hon svarade inte. Om du älskar mig, min dotter, befria mig från denna plåga och tillslut min mun och min näsa och avsluta mitt lidande. Den följande natten hade hon så suttit på en stol och betraktat hans dödskamp. Jag visste att du skulle komma, hade han viskat. Varför, hade hon svarat. För att du älskar mig och inte kan bli fri, nu ber jag dig.

Då hade hon lagt handen över hans mun, och ej avlägsnat den förrän han nästan kvävts.

Varför, hade hon frågat. Han hade inte svarat, av

rädsla för henne.

Var inte rädd, hade hon då sagt, men jag måste få veta varför. Han hade skakat på sitt huvud. Hon hade ånyo lagt sin hand över hans mun och tillslutit hans andningsvägar. När hon sedan tog bort sin hand var det för sent. Hon tyckte sig se ett svagt men triumferande leende i hans nyss avsomnade anlete. Varför, hade hon förtvivlat och rasande frågat, men det var för sent.

I Frågeboken finns ett kapitel som inleds med frågan **Varför?**, men där relateras endast broderns beskrivning av faderns död, helt utan dramatiska inslag, och utan att på något sätt antyda hennes personliga insats i dödskampen.

Det är allt om brodern, frånsett några lätt genomskinliga undanflykter.

Om Blanches mor en något utförligare relation.

Den inleds med den obligatoriska frågan, denna gång **När såg jag min mor för sista gången?**, och svaret börjar med ett nästan bibliskt tonfall. *När jag var barn, talade som ett barn, och hade barnsliga tankar, och ej som nu såg klart, avled min mor*, och fortsätter sedan med ett normalare språkligt tonfall; det *jag* som talar är Blanche själv.

Jag var femton år, skriver hon, *hade en bror som var sexton år gammal, mitt namn var redan då Blanche, men man kallade mig Ota. Ingen vet varför. Men när jag blev sexton, och man började hysa rädsla för mig, bestämde jag att mitt namn skulle vara Blanche; och ingen vågade trotsa mig. Min mor dog av kärlekslust och levercancer, som jag skämtsamt brukar säga. Hon var ovanligt liten, endast 150 centimeter lång, ungefär den längd jag nu långsamt börjar närma mig. Sigmund skulle därför med säkerhet ha hävdat att jag alltid velat uppgå i min mor. Nu närmar jag mig henne alltså, efter nästa amputation har jag passerat henne. Hon hade mörka ögon och brukade viska cara, cara, cara. Min mor var korsikanska. Min bror minns jag ej.*

Min vänstra hand, som ej längre finns kvar, smärtar inte längre, men kan minnas smekningar. Jag brukar tänka på detta som fantomsmärtornas motsats, och kalla det fantomkärlek. Den minns inte endast smekningar, utan också hud den smekt. Handen utdelar smekningar, men är också mottagare. En gång nämnde jag detta för professor Charcot, han stirrade länge på mig som inför en anklagelse; nu är handen borta, men ej minnet.

Ett annat ord är fantomlust, men jag väljer att kalla det fantomkärlek.

Det avhuggna och försvunna har också sin kärlek, sina minnen. Kanske är en gång denna fantomkärlek möjlig att beskriva. Jag kan inte uppskatta min mors vikt, men väl erinra mig hennes hand, och hennes hud. Det är naturligt att jag inte kan minnas min bror, han är avhuggen, liksom min vänstra hand och mitt vänstra underben, men minnet av honom, det avhuggna, avger trots detta inga signaler av smärta eller kärlek.

Min mor dog en sommar då stor hetta hade hemsökt Paris; det dröjde tre dagar innan en av mina farbröder kunde framskaffa en vagn att forsla henne till hennes hemstad Sceaux, där hon önskade begravas. Hon ville ej dela grav med min far, endast begravas med honom om han då ännu var levande, som hon med sin förskräckande form av kärlek uttryckte det på sin dödsbädd. Jag var den enda som önskade ledsaga min farbror på hennes likfärd. Hon luktade.

Det var den söta stanken av min mor, korsikanskan som ej önskade dela läger med min far i graven om ej han begravdes levande.

Hon uttryckte sig verkligen så. Man fick tolka henne så: att hon föreställde sig hans desperata kamp att befria sig från kistans inneslutenhet som vedergällning. Vi, min farbror och jag, förde henne i en vagn. Det var den söta stanken från min mor som drev hästarna framåt i sporrsträck.

Hoppla! utropade min farbror glatt. Jag älskade henne.

Jag har valt att betrakta hennes yttrande om min far, kvävd i en likkista, som en poetisk bild av deras äktenskap, men när jag för henne antydde detta stirrade hon endast på mig och förklarade att om kärlek förstod jag i varje fall intet, ej heller om poesi; det sista tillade hon med ett mjukt och varmt leende.

Av henne har jag lärt att ej betrakta faktiska händelser som metaforiska. Något är vad det är. Intet annat. Det var en nyttig läxa som jag också försökt bibringa Marie.

Vid färjestället, överfarten vid floden Cure, tycktes

ekipaget överväldigat av sorg och förtvivlan. Hästarna upphanns av den söta stanken av min mors lik när ekipaget stannade före ilastningen på färjan, dragdjuren greps av hästars begripliga och naturliga raseri, och vagnen, jag menar vår sorgeprocession, präglades därför under själva ilastningen på färjan av en närmast panisk brådska, och vagnen välte.

Kistan flöt ut, och drev långsamt mot flodens mitt där den sjönk.

Jag brukade senare ofta föreställa mig att jag stod där, vid flodens strand, ej hysteriskt gråtande utan helt lugn, och såg min kortväxta mor i sin kista, omgiven av sin söta lukt, försvinna i flodens djup, och att jag, den ännu ej vuxna kvinnan, förstod.

Jag skriver "föreställa mig", ej "minnas".

Jag förstod att den söta stanken av sorg, död och kärlek tunnades ut genom detta försvinnande i vattnet, liksom uppslukades hon av havsens djupaste mörker, och att detta ändå blev den fantomkärlek som skulle bli kvar i hela mitt liv, verkligare än allt annat, trots att den verkliga stanken från min mors lik tunnades ut och försvann, och att till slut endast flodens lugna yta blev kvar, medan vi alla hjälplöst betraktade hennes försvinnande.

Jag skriver detta som svar på frågan när jag såg min mor den sista gången. Det var den 26 juli 1876 vid fyratiden på eftermiddagen.

Hon försvann ned i flodens famn, som uppslukades hon av flodens kärlek.

Och minns jag att jag då, gripen av en stor högtidlighet, önskade att en gång, för min mors skull som aldrig fick uppleva kärleken, kunna skriva den slutliga berättelsen om kärleken, den på ytan verkliga, men också om fantomkärleken.

Den som endast var förbehållen de stympade, de till en torso reducerade, de vilkas uppgift därför måste vara desto större, nämligen minnets och erinrans.

I det ögonblick hon försvann (och däri finns svaret på min fråga) fanns den påbörjade berättelsen. Den som innehåller den söta stanken av död. Raseriet mot de levande. Lockelsen från den lust som i hela hennes liv förmenats henne, och som jag så önskar att hon fått uppleva. Ack! jag skriver detta med förtvivlan och sorg, å vad jag önskar att hon fått uppleva detta som förmenats henne. Men nu endast sorgen inför den kärlek hon aldrig fick uppleva.

Hon som skrev hette Blanche Wittman.

Hon var en vacker kvinna med mjukt, nästan barnsligt oskuldsfullt ansikte, antydan till smilgropar, uppenbarligen mörkt och ganska långt hår, det är vad man kan urskilja på den målning som finns, och på det enda fotografiet.

Hon liknar någon.

Historien i kort sammanfattning är följande. Hon kom som artonåring till Salpêtrièresjukhuset i Paris och inlades med nervösa eller, som man senare fastslog, hysteriska symptom. Hon hade tidigare vårdats annorlunda, alltså *staccato!*, men omfamnades nu av Slottet. Hennes melankoli yttrade sig i *somnambula kramper*, som dock upplöstes efter någon timma; man fastslog snabbt att det inte var fråga om någon typ av epilepsi, utan just hysteri. Sjukhusets chef, en professor Charcot – senare berömd som den förste som diagnostiserat och analyserat skilda former av skleros, bl.a. multipel skleros och vissa neurasteniska sjukdomar ("Charcot's disease") – kom att gripas av en egendomlig bindning, nästan hängivenhet, till henne, och hon blev hans favoritpatient.

Hon *medverkade vid experimenten med sig själv.*

Charcot var vid mötet femtiotre år gammal. Han använde uttrycket "experiment", menade icke att det var hennes förmåga till teatral gestaltning av vissa vetenskapliga problem som fängslade honom. De kvinnor han förevisade under experimenten med hysteri, senare bl.a. Jane Avril, hade han ej känt lust till. Han medger aldrig, före den sista resan till Morvan mot slutet av sitt liv, att han kände lust till Blanche; men hon utgår i Frågeboken från detta som ett självklart faktum.

Han är inte naiv. Han beskriver sig själv som en upplysningsman, med en sådans självklara dragning till outforskade kontinenter, och stark och rationell tilltro till förnuftets otillräcklighet.

I en uppsats om Franz Anton Mesmer hade Charcot med skärpa betonat risken för att en expeditionsledare kunde bli bedragen, och varnat för naivitet. Han var gift och hade tre barn. Han hade också haft en annan kvinnlig patient som assistent och demonstrationsobjekt, en dansös vid namn Jane Avril, men hon blev efter mötet med Blanche ”friskskriven” och lämnade sjukhuset efter något som felaktigt sades vara en konflikt de båda kvinnorna emellan.

Hon blev senare berömd som modell för den franske målaren Toulouse-Lautrec.

Charcot ägde en upptäcktsresandes och forskares barnslighet. Han bekände sig till upplysningsidealen, men menade att uppfinnare, undersökare, fysiker och upptäcktsresande nu måste utforska nya och hemlighetsfulla landskap. Kvinnans psyke var en sådan kontinent, ej väsensskild från mannens, men farligare. Kvinnan var den port, skriver han, genom vilken man måste tränga in i den mörka kontinenten. Denna var rikare och gåtfullare än mannens. Jane Avril återfinns på många av Toulouse-Lautrecs bästa teckningar: tunn, dansande, en gång med bortvänt ansikte men ibland, oftast, synlig i halvprofil, som en som sett mycket men valt att vända sig bort.

Med Blanche som figurant iscensattes inträdet i kvinnans och människans natur inför en publik av speciellt inbjudna varje fredag – senare tisdag – klockan 3.00.

Charcot hade en österrikisk assistent vid namn Sigmund.

Året med Charcot skulle prägla allt denne sedan gjorde; hans översättningar till tyska av Charcots föreläsningar är ”trollbindande”. Freud menade att det var

Charcot som förändrade hans liv.

Han kan också ha menat Blanche.

Sigmund kunde i viss mån aldrig befria sig från sin expeditionsledare. De trodde sig båda finna den punkt i landskapet varifrån berättelsen kunde betraktas, och iscensatte från denna inte endast kvinnans natur, utan också kärlekens, som var en religiös rit, samt ett maktspel.

Naturligtvis uppträdde också andra hysterikor på Charcots förevisningar. Men Blanche är den enda som omnämns. Varför skulle då inte Charcot själv bli brännmärkt! Som ett djur!

I sin ungdom, skriver Blanche, hade hon läst en fransk roman om en ung dansk flicka, tolv år gammal, som infångat den danske konungen Christian den fjärde och gjort honom beroende av henne, *som av narkotika.* Man trodde han var alkoholist, men i själva verket var han endast förslavad av henne! *Hoppla!* som också Blanches farbror en gång utropat.

Detta *hoppla.* Som ett brännsår.

Det hade utspelat sig under 1600-talets första år. Denna danska flicka, som blev drottning, hade först varit ung, sedan åldrats, och till sist lyckats förinta sin make, den danske konungen Christian den fjärde. Han var då infångad av kärleken. Det var en avskyvärd roman, som ställt en riktig fråga men dock misslyckats med svaret.

I slutet av denna roman återfanns meningen *Vem kan*

förklara kärleken? Men vilka vore vi, om vi inte försökte. Hon skriver att hon fann påståendet komiskt, men lugnande.

Jag förstår henne inte.

Just nu tycker jag inte om henne, hennes arrogans och hårdhet. Det är som en klump i halsen.

Vi börjar snart, upprepar hon ständigt, som ett hopp. Varför inte? Detta hopp är det enda som håller oss levande. Jag hittar en anteckning på en papperslapp, jag måste ha skrivit det en gång och glömt: *Frågeboken är som narkotika.*

Trolldom. Amor Omnia Vincit. Hur kunde hon?

7.

Vaknar ofta på natten och kan inte bli fri. Det är kanske hennes avsikt.

Blanche tar mig vid handen och leder mig nedåt. Först kyligt och oskuldsfullt, tills jag är lugn. Sedan blir det värre.

Det var väl så hon ville hjälpa Marie också. Långsamt, hålla i handen, en ledsagerska, ner mot jordens medelpunkt, fram till den sista expeditionen, så ut ur djungeln, till flodens strand, och natten i Morvan.

De teatrala gestaltningarna inför publik kom efterhand att få en för professor Charcot alltmer plågsam karaktär.

Han tycktes utlämna Blanche, men blev själv utlämnad. Det vetenskapliga schema med tryckpunkter som med penna utmärktes på kvinnans kropp, de som skulle framkalla anfall, ryckningar, melankoli, förlamningar eller kärlek, blev till sist så fulländat, och resultaten gestaltade av lydiga klienter så lyckade, att han fann att han var mycket ensam.

Då var det för sent. Han var i hennes makt. På detta sätt påminde hon om den unga danska drottningen, vars namn hon dock glömt. I sex år var Blanche den stora teatrala stjärna på Salpêtrièresjukhuset som på sitt sätt dominerade Paris vetenskapliga nöjesliv, på samma sätt som den utstötta Jane Avril dominerade Moulin Rouge.

Jane dansade och blev avbildad. Den kallades ”Dårarnas dans”, den dans hon funnit och skapat på Salpêtrière, dansen alla förhäxades av, fast man inte förstod varför.

Man måste göra sig till dåre, hade Charcot sagt till henne.

Jane blev ofta sedd, men aldrig avbildad förrän hon lämnade Salpêtrière och blev världsberömd. Det finns, å andra sidan, endast en konstnärlig målning föreställande Blanche. Hon skildras där som vanmäktig.

Blanche dödade sin älskare, professor Charcot, i augusti 1893. Ett par år senare lämnade hon sjukhuset och tog, 1897, anställning hos den polska fysikern Marie Skłodowska Curie, och fick som första uppgift att arbeta med pechblände. Att detta mineral utstrålade radium var obekant, hon tvingades till amputationer, till sist var hon en torso.

Det är under perioden från den första amputationen fram till sin död hon skriver Frågeboken. Det är boken om Blanche och Marie.

Marie Curie älskade henne, även sedan hon förvandlats till torso.

Marie hade också en älskare; han svek henne, vilket satte hennes andra nobelpris, det i kemi, i fara. I sina anteckningar, de som hon kallade Frågeboken, skriver Blanche att hon mitt under Maries svåraste kris – efter återkomsten från England och samma dag hon fick meddelandet att hennes älskare gett upp och funnit en annan – för första gången berättade om sin slutliga uppgörelse med professor Charcot.

Det var första gången hon berättade det för någon. Hon skriver att hon gjorde detta för att förminska Maries naivitet, för att *få henne att ställa sig på sina ben och gå.*

Uttrycket är egendomligt av en benlös, men återkommer.

Hon skriver: *Jag förklarade för Marie, när hon upplöst av tårar satt vid min bädd och smekte mig med sin högra hand, som var förvärkt, nästan sönderfrätt av det hårda arbete hon utfört med radium, jag förklarade att jag dödat honom på grund av hans trofasthet, och hans barnslighet, och för att han inte ville ställa sig på sina ben och gå, vilket är kärlekens signum. Ingen jag mött har jag älskat som honom, ingen enda, jag älskade honom mer än mitt eget liv, och tvingade mig därför att hålla honom borta från mig. Hur stor är icke kärleken, och svår att fånga, likt en fjäril som rymt ifrån himlen. Men i denna tid av svåra omvälvningar, som är detta nya sekels kännetecken, hur finna vi samband, om ej kärlekens.*

Det är hela historien i kort sanningslöst sammandrag.

8.

Man måste föreställa sig henne som ett barn som försvarar sig.

Hon skriver korta meningar av ibland stiliserad karaktär där orden ofta står i motsättning till varandra. Eftersom hon inte kan få det att hänga samman, drömmer hon om sammanhang som hon kallar ”radium” eller ”kärlek” eller ”det nya århundradet”. Jag tror hon var en liten, snäll, alls inte förhårdnad kvinna, som för sent visste vad hon skulle göra.

Jag har aldrig träffat en kvinna som Blanche, men några som varit på väg att bli som hon. De har befunnit sig intill en förbjuden gräns, och skrämts bort, eller gått över, men aldrig stannat upp intill den.

När jag var barn, talade såsom ett barn, och hade barnsliga tankar – jag medger, uttrycket är hennes – var evangeliet ett kärleksbudskap, och all kärlek var dels påbjuden, dels förbjuden. Det skapade lockelsen, som var explosiv och alltså dödlig. Kärleken och döden var förknippade, vi kunde inte befria oss. Alla talade om kärleken, men ingen förklarade den. Den var också den största synden.

Då får man inte ge upp.

Har man inte gett upp är allting sedan möjligt att förklara, också smärtan när man till sist ställer sig och går. *Kärleken kan man inte förklara. Men vilka vore vi, om vi inte försökte?* Dessa maniska upprepningar! Men vad skulle hon skriva där hon låg i sin trälåda, när kylan kröp längre och längre upp mot hjärtat och allt ruttnade bort.

Nästan samma formulering återkommer på fem ställen i Blanches Frågebok. Jag läste orden, och ett ögonblick stod världen stilla och hjärtat slog och slog.

Egentligen försökte hon nog bara berätta en historia.

Vi får väl nöja oss med det, något finare finns ju inte, om det nu är en historia och inte bara en undanflykt. Jag tänker mig att hon var något mycket enklare än det hon säger sig vara.

Inte menade hon att döda! Egentligen var hon väl en ganska enkel och fin flicka från landet som råkade illa ut. Jag har känt en, en gång.

Innan jag gav upp, och började förstå, tyckte jag inte om att hon inte var hemifrån. Alltså var utlänning, och talade franska, men så var det ju. Vad kan jag göra? Det finns väl ett litet Frankrike överallt. Eller ett litet Paris, eller ett litet Polen. Man får inte bry sig. Jag förstår inte varför jag ursäktar mig, men jag är väl rädd. Inget fel att vara rädd. Det finns alltid en välgörare nånstans att trygga sig till, och för Blanche fanns det kanske också räddning och förlåtelse.

Nu går det bättre. Först var det svårt att rekonstruera henne, nu går det bättre, fast det gör ont. Det var först en klump långt inne nånstans, nu börjar den lösa upp sig. Jag tror att hon, om hon vågat vara uppriktig, inte alls skulle ha verkat så hård. Skoningslös är man väl bara om man inte tror på att bli skonad.

När jag var barn, talade såsom ett barn, och hade barnsliga tankar, alltså när jag var tio år, under andra världskriget, drömde jag om att en gång älska en blond, mycket vacker och mycket älsklig flicka som var förlamad, satt i en rullstol och spelade violin. Jag vet inte var jag fått det ifrån. Jag hade inte ens sett filmen. Jag antar att jag först såg Blanche ungefär så, som en blyg vacker blond flicka som spelade fiol och var beroende av mig för att kunna röra sig. Det var egentligen helt naturligt. Det var ju Blanche. Jag kände igen henne. Hon hade kommit tillbaka till slut. Man fick rekonstruera vad hon varit med om, för själv teg hon bara. Men ingen tvekan, det var hon. Det var detta med torson, och så den nästan glömda drömmen om flickan i rullstol med violin.

Nu känns det snart mycket bättre. Klumpen är borta. Alla sagor man läst! den om flickan med de röda skorna! eller den om den lilla sjöjungfrun! Det var alltid något om en oerhörd smärta när de ställde sig på sina ben och gick. Som knivar genom fötterna.

Snart är det bra igen. Blanche hette flickan. Amor Omnia Vincit.

II

Sången om Kaninen

1.

I Frågeboken kallar Blanche henne Kaninen. Det kunde vara en föraktfull antydan om sexuell lössläppthet.

Kaninen är kanske oviktig.

Men om hon är viktig för Blanche, då är hon viktig.

Gallrar man i Frågebokens persongalleri finns från början bara tre kvinnor. Det är Blanche, Marie och Kaninen. Sedan kommer Hertha Ayrton, men det är till sist. Och Blanche träffade henne aldrig.

Kaninen?

Jag tänkte mig först att de alla var rädda, och lite barnsliga, rädda för att ej uthärda kärleken. Men det var nog fel. Inte rädsla, men oskuldsfullhet mitt i skiten, detta som gör att människor till sist ställer sig på sina ben och går.

Ibland, i Frågeboken, kan det plötsligt verka som om Blanche stannar upp, det hakar sig, man kan tänka sig att hon tittar upp från träkärran och ser ut genom fönstret, mot träden och löven, som om det fanns en flodens strand där bakom, eller kanske tittar ner på filten runt benstumpen, med rynkad panna, med detta oskuldsfulla förvånade i det ännu barnsligt vackra ansiktet, och att hon då alltid skriver *Jag börjar snart.*

Man vänjer sig, jag tycker till sist om det. Hon vill ju att vi ska förstå, men är lite rädd, fattar inte varför vi inte kan förstå! varför trögheten! Då detta oskuldsfulla och blyga; en fråga om hon får fortsätta, ungefär så.

Det är väl därför. Det skriver man bara när man inte riktigt vågar, eller har gått över gränsen i desperation. Om sex tusen instängda kvinnor på Salpêtrièresjukhuset vet ingen nånting säkert, men de fanns ju där, runt omkring henne. *Jag börjar snart*: det är den där undertonen av barnslig skräck, glad och lite förtvivlad, jag känner igen den.

Det är inte svårt att förstå att Blanches händer och armar drabbats av strålningen.

Men foten? Och senare benet?

Det var kanske något annat. Så mycket hos Blanche täcks in av det uttrycket: *det var också något annat.*

Först alltså Blanche. Därnäst Jane Avril, som egentligen hette Jeanne Louise Beaudon.

Hon spelar en mycket begränsad roll i historien om Blanche, Marie och professor Charcot, men en eftermiddag i juni (inget årtal är angivet i Frågeboken; man kan dock gissa på ungefär 1906) dyker hon oanmäld upp på besök hos Blanche. Det är det första av två besök.

Det andra inträffar månaden före Blanches död. Marie, Blanche och Jane, dessa tre, sitter då på terrassen. Träden. Löven.

Det är det finaste mötet, helt olikt det första, det är själva utgångspunkten, eller den punkt varifrån historien är möjlig att berätta.

Man hoppas ju alltid att det finns en sådan punkt, i varje människas liv. Det är väl därför vi fortsätter.

Det första mötet är i mitten av amputationskedjan – Blanche är reducerad med en arm och en fot men kan gå hjälpligt med kryckor – och Jane är oberörd och vänlig. **Vad förorsakar Janes besök, och vem hade berättat om min belägenhet?** är rubriken i Frågeboken.

Hon hade medtagit ett nybakat bröd som hon försäkrade var tryfferat med russin och abessinska nötter (?) och kryddat med rosmarin, och sade sig vilja dela detta bröd med Blanche, som en vänskapsgest, tillsammans med ett glas vin, och berätta gamla minnen.

Hon hade sett sig om i rummet, som om hon först nu upptäckt var hon befann sig. Hon hade noterat några av Maries arbetsredskap, några glasretorter och kolvar, gått fram till ett arbetsbord och böjt sig över anteckningar med kemiska formler, och torrt konstaterat att *det var detta man fick nobelpris för.*

– Du har fina vänner, hade hon sagt. Har kommit dig upp.

Kommit sig upp? Blanche ligger inte i sin trälåda, den är tillverkad, står intill sängen, men ändå!

Janes klädsel är *extravagant.*

Det är det ord som används. Hennes ålder är den som återfinns hos plågade, sminkade men tålmodiga barn. Blanche skriver att hon inte förstår vad den ovanliga gesten med brödet innebär. Hon börjar därför närmast i panik, *med en för mig ovanlig nervositet,* tala om Janes stora framgångar på Moulin Rouge, och den berömmelse som kommit henne till del genom målaren Toulouse-Lautrecs illustrationer, de där Jane ju spelar en charmerande och dominerande roll; men Jane avbryter henne då bryskt och vänligt, och säger, nästan högtidligt:

– Blanche, hur är det?

– Det ser du nog.

– Det har man aldrig kunnat se, hade Jane efter en stunds tystnad svarat, du hade alltid en förfärande styrka, jag var alltid rädd för dig. Du var så orimligt stark, alla var rädda för dig, vet du det? Jag tyckte synd om Charcot, han var så rädd för dig.

– Sluta nu, hade Blanche då viskat.

Jane hade satt sig på en stol, tigit. Det hade gått en tid.

Sedan hade hon närmast viskande börjat tala.

Hon ville tala om Salpêtrière som inte bara var helvetet, det var något annat, mycket dyrbart. Hon använder uttrycket dyrbart. Det dyrbara var något hon förlorat, ett minne som hon försökt återkalla, *också i den djupaste förtvivlan kan ett ögonblick finnas när allt tycks möjligt,* ungefär så, *när man är fri och kan börja om,* hennes röst försvann nästan ibland.

– Jag har glömt. Jag kan inte längre. Snälla Blanche, jag ber dig, *det enda jag ber dig om är att få tillbaka ett minne.*

Blanche frågar då, förbryllad inför det rent språkliga i uttrycket:

– Ett minne?

– Hur det var.

– Ge dig det tillbaka?

– Ja, hade Jane då viskat, enligt Frågeboken med samma insisterande mjuka förtvivlan. Det är förlorat.

– Vilket är då detta minne, hade sedan Blanche frågat, och lagt från sig det brödstycke som hon fått, *med en gest som om det varit förgiftat, vilket jag hoppades Jane noterade.*

– När jag dansade. Och trodde man kunde börja om.

– Har du glömt?

– Varför skulle jag annars be dig, hade Jane svarat.

Det hade då uppstått en lång tystnad, Blanche skriver att hon nu känt sig lugnare, inte längre överrumplad, hon hade svept filten tätare om sin amputerade kropp, *det var nu tid att gå till motanfall gentemot den fräcka inkräktaren.*

– Nej jag minns inte, hade Blanche sagt, och om inte du minns, din lilla hynda, hur skulle då jag minnas?

Uttrycket "din lilla hynda" kommer mycket överraskande.

– La danse des Fous!!! hade Jane Avril då sagt, utan att låtsas höra den grova förolämpningen, och som om hennes eget utbrott inte ägt rum eller räknats, *jag har glömt, men du minns säkert, "Dårarnas dans" på Salpêtrière, fjärilen!*

Där slutar denna passus i Frågeboken.

Om samtalet nu är rätt återgivet är det egendomligt. Man uttrycker sig ju inte så, *högtidligt som en korsett,* som hon på ett annat ställe skriver. Och detta plötsliga hat. Det stämmer inte. Och en gång senare, just före Blanches död 1913, skulle de ju mötas, tillsammans med Marie Curie.

Då bara stillhet, sorg, och värme.

Men här inget mer om brödet, om minnet av ett nu förlorat ögonblick, om "Dårarnas dans", om den genombrottsföreställning som Blanche måste ha bevittnat men nu endast var *ett förlorat minne*, som vore minnet möjligt att amputera, ett fantomminne, utan smärta, likt Blanches amputerade lemmar, men ett minne som ändå skulle kunna återfinnas, likt ett föremål ur historien: och att då ingenting ändå till sist var förlorat, och utan innebörd och mening.

2.

Jane Avril var ju artistnamnet.

Hon föddes under namnet Jeanne Louise Beaudon den 9 juni 1868 i en by vid namn Belleville, egentligen en förort till Paris; hennes mor var hora. Belleville ligger på en platå så hög och så brant att den knappast kunde anses förbunden med Paris: man byggde senare en linbana ner från platån för att förbättra förbindelsen med *denna stad av ljus och glädje*. Moderns bana som hora sträckte sig från fjorton till trettioett års ålder, sedan blev hon för fet och livnärde sig på att spå i sump. Modern kallade sig modist. "Min mor var en mycket vacker, briljant och firad parisiska under andra kejsardömet", skriver Jane i sina memoarer, utgivna på 30-talet, och antyder att hennes far var en italiensk greve, vilket man ju alltid kan säga, det är troligt i de flesta fall, *min far var en italiensk greve*, men han kan, än troligare, ha varit en lokal bonde vid namn Fant. Modern tar sig därför arbetsnamnet "Elise, grevinna av Font", och överlämnar vårdnaden av barnet till sina föräldrar; det är under Paris belägring 1870, samma år som Charcot sänder sin familj och sina barn till London. Jag återkommer till detta.

Jane upptas som maskot av en grupp preussiska soldater och lär sig, som första tyska mening i livet, att säga "Alla preussare är svin", vilket väcker stor munterhet.

Då och då återtar modern henne, och misshandlar henne, däremellan viloperioder hos morföräldrarna, då är det ett muntert liv. En före detta älskare till modern förbarmar sig dock över Jane, och hon lägger på hullet, vilket han uppskattar både andligt och lekamligt.

Jane är duktig, kan "städa, tända elden och laga maten". Hon är en riktig rackarunge, det är det allmänna omdömet, fast blyg. ”Glöm aldrig att du är dotter till en italiensk greve”, förmanar henne modern ständigt. Jane tror i inledningsskedet av sitt liv på Gud och vill rädda modern från de eviga straffen, sedan ger hon upp, också försöken att rädda modern.

Janes tidiga biografi är tröttande.

Som trettonåring tigger hon på torgen i avlägsna kvarter. Över hennes ungdom vilar en viss tidstypisk sentimentalitet, det är först senare hon blir berömd och fylld av egenskaper, då främst genom målaren Toulouse-Lautrecs bilder.

Hon stretar sig karaktärslös fram genom sina unga år.

Plötsligt börjar hon få kramper, med ofrivilliga rörelser. Den första gången tror man att kramperna hänger samman med hennes känsla av skuld; hon hade orättmätigt tvekat att massera en av moderns välgörare som plötsligt drabbats av smärtor i ryggen, och hennes sturiga men samtidigt barnsliga trots hade framkallat moderns vrede. Denna hade då agat henne. När moderns vän ånyo insisterat på hjälp i sin nästan sjukdomsliknande situation, och flickan trots tillrättavisningen vägrat, dock utan tårar, enbart med krampaktigt sammanbitet ansikte, då hade trotstillståndet hos flickan på något medicinskt oklart sätt fortplantats till hennes lemmar, och ett dansliknande tillstånd hade inträffat som både förbryllat och skrämt de närvarande, alltså den sjuka modern och hennes välgörare. Hennes sjukdom definieras som danssjuka, eller Saint Guy’s dance.

Så oskyldigt och samtidigt gåtfullt hade det börjat.

En av hennes äldre älskare och beskyddare, en doktor Magnan, som var psykiatriker och främst lärt sig uppskatta den unga Jane under hennes mer magra och barnsliga perioder, ser då till att hon blir inskriven på Salpêtrièresjukhuset, under professor Charcots vård, på andra divisionen, tredje sektionen, den 28 december 1882.

3.

Hur skulle hon inte minnas denna stad i staden, den som hade namnet Salpêtrière!

Och den ligger där ännu.

Hon hade – ej medan hon var frälst och ännu försökte rädda sin horande mor från helvetet, nej något senare när hon gett upp – alltid föreställt sig himlen som en borg, med skyddsmurar mot världen. Dit skulle hon en gång bli upphämtad, befriad från sin lilla hormamma och sina välgörare bland hennes kunder, de som efterhand föredrog henne och hennes mer barnsliga väsen framför moderns fetlagda och slappa. Eller kanske hade hon föreställt sig en himmel som en plats på jorden! som en av välgörarna en gång berättat för henne. En upplysningsman, hade han kallat sig! Han hade berättat att denna himmel fanns på jorden, ej någon annanstans; och hon hade då på sitt barnsliga sätt diktat vidare, tänkt sig att "himlen" bestod i att dessa välgörare nedstörtats från moderns närhet, att denna hennes mor då skulle förvandlas, uppmjukas, bli mild och långsam i sina rörelser, inte snabb och hård på det missnöjda sätt som gjorde ont och efterlämnade smärtsamma bulnader på den unga flickans kropp, att en änglalik förvandling av modern skulle ske i denna världsliga himmel.

Så skulle upplysningens himmel se ut, föreställde hon sig, men det Jane nu tog sitt inträde i var endast den himmelska borg vars namn var Salpêtrière.

Salpêtrière var verkligen en borg i Paris, ett Slott! och där samlades de kvinnor som förvirrats av kärleken. Det var de i sederna förfallna, och de åldrade, och de som snart skulle uppsöka kärleken men i förväntan brutit samman. Detta hade de gemensamt: kärleken hade för dem alla spelat en roll, och de var svikna.

Sjukhuset hade 4 500 sängar, men alla som inneslöts kunde ej erbjudas sängplats. Slottet var befolkat långt utöver detta tal; det var ett *"Ålderdomens Skydd"* i första hand, men det var också ett restupplag. Dit fördes de *resterande* kvinnor som ej längre hade välgörare och skyddsänglar; men det var inte de åldriga, de dementa och sinnesslöa som var de ledande klienterna i detta svarta slott mitt i Paris. Åldringarna (de var alla kvinnor eftersom männen under denna period ej tilläts tillträde) var visserligen i majoritet, men det var inte de som utgjorde Slottets pulserande och gåtfulla hjärta. Nej, det var, skriver Jane Avril senare i sina minnesanteckningar, det var *de efterblivna epileptikerna och hysterikorna som utgjorde överklassen i denna sorgsenhe-*

tens helvete, de som var berömdheterna. De var det övre avundade skiktet i denna tragiska och komiska samling av sex tusen grå skuggor som mumlande, skrikande eller gråtande med långsamma rörelser, likt paddor, rörde sig genom de nedsmutsade gångarna och rummen, mellan dessa metertjocka murar, eller ute på de trånga öppna platserna i villrådiga grupper – orden kommer plötsligt nästan expressivt målande i Jane Avrils annars helt igenom glaserade självbiografi.

Hundra år sedan.

Dit fördes de, Blanche och Jane och de andra *sex tusen blodfyllda skuggorna* som ännu trodde sig vara människor.

Skuggornas armé är borta, men Slottet ligger där ännu, med sina murar och valv, och sitt bibliotek med den berömda målningen som föreställer Charcot och Blanche under seansen. Bilden! den berömda! hur har den inte tolkats! den förträngda erotikens altarmålning! den pietistiska vällustens heliga graal! sinnebilden för kvinnans hjälplöshet i lidelsen! övergivenheten!

Eller bara en bild som lockande och kylig är en minnesteckning över en expedition som förolyckas på väg in i kvinnans och kärlekens kontinent.

Det ligger där än.

Slottet i Paris, nu tömt på det som Jane Avril såg när hon fördes in i den av mänskliga råttor befolkade Labyrinten. Bilden av *de galna kvinnornas slott* återkommer i alla beskrivningar, den är lockande och frånstötande och saknar förbindelse med oss själva, säger vi: som en svart dröm just före ett ljusare uppvaknande, som är *den lockande bilden av Blanche i vanmakt.*

Och professor Charcot nästan i hennes armar, eller hon i hans.

Dit kom Jane Avril, efter avslutad utbildning under sin mors ledning, efter en spännande och ovanlig uppväxt, fortfarande en kvinna utan egenskaper, ännu ej världsberömd som en dansande modell.

Varför kallades hon Kaninen?

Nej, det var inte därför hon kallades Kaninen.

Det kunde annars användas som en bild av pietismens sexualitet, som stod långt från Jane Avril men kanske närmare Charcot, om jag känner honom rätt, och varför skulle jag inte känna honom när Blanche trodde sig känna honom.

Vad har hon för rätt!

Vad har just hon för rätt att uttala sig om pietismens förträngda sexualitet? Ingen! Ingen! När världskriget, det andra, kom till de små byarna i Västerbottens kustland uppmanades alla att införskaffa kaniner. Tanken var att de skulle vara reservproviant om kriget verkligen kom. De myllrade också omkring i sina små burar, och barnen, de med ett barns alla hemliga och smutsiga instinkter, alla dessa i grunden syndfulla och fromma barn såg dem kopulera, ständigt! ständigt!

Och eftersom sexualitet var det mest förbjudna var det med fasa som övervakarna och välgörarna senare, allt för sent! upptäckte hur barnen – liksom jag själv produkter av den fromma pietismens fixering vid den förbjudna lidelsen, och vid kvinnan, hon som ju var syndens innersta drivkraft och den som skapade frestelserna, syndens hotfulla slutstation – hur alla dessa oskyldiga barn låg i små högar i ängsgläntor eller i skogen eller i snön och fullt påklädda utförde kaniners dagliga konvulsiviska rörelser när de kopulerade, i krälande böljande högar.

Som om sexualiteten bubblat upp under fromhetens istäcke, och varit oemotståndlig.

Byn hade för dessa barn blivit ett slags helvetets liderliga förgård, oskuldsfullt gestaltat av dessa guppande gnidande barn utom räckhåll för det kristna kärleksbudskapet, som också var lagen att sexualiteten var det mest förbjudna, och därför den lockande gräns som de guppande små barnen, dolda av kaninlekar, ville närma sig.

Jane tvingades ut som prostituerad vid elva års ålder. Blanche var aldrig prostituerad. Först älskade hon Jane, sedan fruktade hon henne; när hon återsåg henne var det för sent.

Men dessa amputerade lidelser! Vilken kraft!

Det finns ju ingen anledning att urskulda 1900-talet. Hur ber man om ursäkt för ett århundrade som inte kunnat välja sina rötter?

Löjligt.

Men inte ens små byar i Västerbottens kustland avviker. Alla var vi ju i grunden herrnhutare. Löjligt att be om ursäkt, eller skämmas, för sexualitetens rötter. När herrnhutarna i Böhmen ännu vid 1700-talets mitt skulle gifta sig fördes paret in i det blå rummet, och det första samlaget skulle där genomföras under observation av en församlingsäldste. Akten var då ritualiserad, som en gudstjänst: brudgummen skulle sitta på golvet med benen framsträckta, och kvinnan sitta grensle över honom.

Så skulle defloreringen fullbordas, med en församlingsäldste på en stol vid väggen.

Vilken är trons starkaste drivkraft om inte lusten!

4.

Slottet ligger där ännu.

Var det verkligen ett lidelsernas slott? Ett salpetersjuderi med ännu i dag mytisk utstrålning? Ett magiskt slott som en gång var det laboratorium som skulle utforska en hemlighet viktigare än radium – var det befolkat av råttor, verkligen? Ett slott?

Nej, knappast.

Längst bort efter raden av valvgångar en öppning mot det torg, Sainte-Clairetorget, som mitt i förfallet och ackompanjerat av de mänskliga råttornas släpande och hasande ljud öppnade sig mot rymden. Gick man över det, då nådde man, när man också gått över den tillfälligt öppna rue de la Cuisine, fram till de nervsjukas, de epileptiskas och de hysteriskas kvarter, där den berömde professor Charcot styrde över dessa liderliga och hotfulla kvinnor. De mest särskilda bland dessa, de vilkas experiment tilldrogo sig det största intresset, var de kvinnor som kallades hysterikor, som enträget arbetade på att bli "stjärnor bland råttorna" och som sades taga varje möjlighet att tilldraga sig uppmärksamhet vid professor Charcots föreställningar och behandlingar med extravaganta förvridningar, "regnbågar", olika akrobatiska övningar och gutturala skrik av förtvivlan, glädje eller lättnad. Det var de teatrala gestaltningar som skulle utvisa den förut fördolda vägen in i kvinnlighetens och kärlekens skrämmande och avskräckande värld.

Som vi barn i vår lilla by, tänker jag ibland.
Växte vi någonsin upp?

Jane, som då ännu hette Jeanne Louise Beaudon, inträdde i detta kvinnornas slott utan fruktan, mindes det liv hon levat och beslöt att med glädje amputera minnet av det.

Hon fann att denna himmelska tillflykt visserligen liknade ett helvete, men att dock helvetet var uthärdligt och lustigt. Dessa kvinnor var utnyttjade, men fogade sig icke helt. Hennes medpatienter talade lugnande till henne. De, skriver hon, hyste ingen misstro till "min lilla smala och tunna gestalt"; och hon inlärdes i vårdens regler och flyktvägar.

Vårdarna var ivriga att stå till tjänst, och eftertraktade av de kvinnliga klienterna. Läkarna var unga, de utförde sina undersökningar med vetenskaplig noggrannhet, och när de mest benådade kvinnorna blev havande tvingades de, djupt sörjande, lämna sjukhuset för att föda; men de återvände alltid, *likt vilsegångna lamm som till sist återvände till den skyddande tackan.*

I Frågeboken ingenting av detta blomstrande språk. Några enstaka frågor vad beträffar Jane Avril, och en gång ett mycket gåtfullt svar. Frågan: **Vad kunde han se hos Jane?** och svaret: *Djuren älskade han som sig själv, och det fanns stunder när jag kunde känna avundsjuka, nästan hat, mot dessa hjälplösa varelser som uppslukade så mycket av hans kärlek.*

Det är allt. Hela svaret.

Kärlek kan skapas när någon delar sitt mörker med den älskade. Men skapas då också hat?

5.

Blanche Wittman var den självklara auktoritet som Jane kontaktade när hon fick idén med den stora dansföreställningen till dårarnas ära.

Blanche hade ju inflytande. Hon var ju drottningen bland hysterikor! Ryktet gick att professor Charcot älskade henne, och att hennes makt var stor, men att hon ej tillät professor Charcot tillträde till sina *innersta trädgårdar.*

De av Charcot särskilt favoriserade, de som mer eller mindre regelbundet medverkade vid de medicinska experimenten, och var huvudobjekt vid de vetenskapliga och offentliga analyserna, var placerade i den stora salen Duchesse de Boulogne, på bottenvåningen.

De obetydligare eller förbrukade hysterikorna hade placerats på övervåningen. De tillhörde de mindre estetiska, de vilkas anfall sällan gestaltades på ett vetenskapligt sätt, och som vistats så länge på Salpêtrière att de långsamt förlorat förståndet och sjunkit samman i apati.

Jane var ännu ett barn, men med en fjortonårings charm, hon ägde samtidigt ett barns brutalitet och nyfikenhet och älskade att provocera de patienter hon fann komiska eller motbjudande. En av dem var lång, majestätisk och stubbklippt, med hår vitt som snö, och kallades La Place Maubert, eftersom hon envetet och med mörk ihålig röst tillropade de omgivande *Jag respekterar La Place Maubert, er skiter jag i!* – ingen kände till någon sådan plats, men man antog att den för henne ägde en helighet som ingen vågade trotsa.

Helighet var ett ord som ofta användes.

När Jane ibland provocerade henne och, på barns tillgjorda sätt, frågade henne var denna "plats" befann sig, kunde den olyckliga då gripa henne med händerna, omslingra henne med sina långa armar och höja henne i luften med en förbluffande och oväntad styrka, som vore den späda Jane ett offer som skulle hembäras till en osynlig eller försvunnen Gud som för evigt vänt sitt ansikte från dem alla, ett offer att lägga på ett altare, likt Abraham gjorde, för att beveka den straffande Guden.

En välgörare kunde då komma till undsättning. Inte

långt borta från denna skrämmande och upprörande scen befann sig alltid Perdrix, en grov manhaftig kvinna som i samtal kunde utvisa en överraskande begåvning och intellektuell balans, men vars kroppsrörelser ej var koordinerade med hennes förstånd: hennes kropp vandrade så att säga självständigt omkring på torget, sparkande och knyckande, jämfota hoppande över avloppsbrunnarna. Perdrix hade tagit för vana att på avstånd betrakta, eller snarare bevaka, Jane, och när denna hotades till livet av den fruktade La Place Maubert rusade hon alltid fram och slet den skrikande Jane ur armarna på den sinnessjuka kvinnan, kysste henne ömt och tillsade henne att gömma sig för sin fruktade vedersakare. Det var för övrigt denna i grunden kloka och goda Perdrix, med sina egendomliga ryckningar, som den legendariska skådespelerskan Sarah Bernhardt uppsökte för att, på inrådan av den konst- och teaterintresserade professor Charcot, låta sig inspireras till sin rollinstudering av denna *autentiska dåre, som med sina konstnärligt utvecklade ryckningar avslöjade djupen av hennes mörka sinnevärld.*

Mötet hade dock blivit helt misslyckat; när Perdrix förstått skådespelerskans ärende hade hon endast häftigt vänt sig om, dragit upp kjolen, visat sin nakna bak, och med gester och åtbörder hänvisat den förbluffade artisten till sjukhusets huvudentré, dit hon också förpassats, beledsagad av de intagnas skrattsalvor.

Skådespelerskan hade senare tagit kontakt med Blanche Wittman. Men det var när ryktet om Blanche spritt sig i Paris intellektuella kretsar. Hon hade då velat ha besked om helt andra frågor som den senare torson i trälådan sades äga hemligheten till.

6.

Den ”Dårarnas dans” som Jane frågat om, den gången hon uppsökte Blanche Wittman för att *återfå ett minne,* måste ha gått av stapeln vid midfastan 1884; det var en maskeradbal där intagna kvinnor deltog, samt ett antal av vårdarna och läkarna.

Jane var utklädd till ”La descente de la Courtille”, hon hade en dräkt bestående av en mansskjorta med uppkavlade ärmar, ett brett rött bälte på en kort underbyxa, däröver pösiga byxor, och liten hatt med plym.

Hennes ansikte var dolt av en vargmask.

Det är hennes första bal. Hon dansar polka med en man utklädd till medeltida riddare, och upptäcker, när han senare demaskerar sig, att detta är en av de unga medicinare hon tycker mycket om.

Ingen av Toulouse-Lautrecs bilder gör henne rättvisa.

Hon är, dessa år, en fjäril. Frågeboken ger ett undvikande svar på frågan om hennes utseende: *Jane var också en fjäril som rymt ifrån himlen.* Den unge medicinaren hade gett henne en bukett med liljekonvaljer den första maj.

Blanche har inför balen hjälpt henne med påklädningen.

Blanche är en av de kvinnor på Salpêtrière hon beundrar eftersom Blanche är en av stjärnorna. Blanche har gett henne ett varmt leende och sagt till henne att ge sig hän.

Hon ger sig hän.

Hon börjar dansa och upptäcker att hon intet väger och att hon flyger och att musiken bär henne. Hon lösgör sig från sig själv och finner de nya steg som hon senare ska göra sensation med på Moulin Rouge, det glesnar runt henne, hon dansar ensam vidare i mitten av alla, de applåderar, de ser på henne, hon är nu sexton år och har intet som tynger. Vad gör jag! ropar hon, hon gör en paus, går fram till Blanche och frågar något med innebörden att hon nu är rädd för att göra skandal.

Blanche böjer sig fram och viskar.

Jane Avril återtar då dansen, allt vildare, hon upptäcker att hon icke endast saknar andra egenskaper än den att kunna dansa, hon saknar också minnen, skuld, förtvivlan, hon är befriad från sin mor, från hennes beundrare, från råttor, hugg och slag, hon är avskuren från sjukhuset, hennes minnen är amputerade, hon är mycket lätt, de nya och omöjliga dansstegen når lätt fram till henne, hon är sexton år och hon vet i detta ögonblick att hon är absolut fri och ingenting finns som kan binda henne.

I det ögonblick musiken upphör tvekar hon en sekund, men fortsätter så, under absolut tystnad, sin dans, medan alla ser henne som vore hon verkligen en fjäril som rymt ifrån himlen.

Fjärilen! Denna tre gånger upprepade bild, som torson i trälådan på sätt och vis levde och dog med.

Men vad hade Blanche viskat?

Under ett ögonblick ser hon Blanches ansikte och förstår att denna är förtvivlad, och skräckslagen, som ett övergivet barn. Varför, det vet hon inte. Ögonblicket av frihet! och sedan ett långt liv av jakt efter detta ögonblick, som narkomanens jakt efter det första rusets minne, jakten, drömmen att återfinna ögonblicket, flykten bakåt, jakten! jakten! och hon ska aldrig hitta tillbaka.

Så applåderna. *Det korta ögonblicket när allt är möjligt. Detta är kärlekens ögonblick*, skriver Jane, *hur sörjer jag icke att jag ej kan gripa detta ögonblick när allt är möjligt, och förbli i stunden.*

Konflikten med Blanche hade, skriver hon, grundlagts i detta ögonblick. Charcot hade bevittnat dansen, och skrattande applåderat.

– Så lätt du nu rör dig, hade han sagt henne efteråt. Du borde bli dansös. Du har ett rikt liv framför dig. Jag önskar när jag ser dig att jag vore ung på nytt.

– Och då? hade hon frågat.

Hon tvingades lämna Salpêtrière den 11 juli 1884. Då försvinner hon ut ur historien, eller går in i den. Det som sker är att någon går, på sätt och vis både lämnar historien och påbörjar den.

Jane Avrils sista månader på Salpêtrière är gåtfulla, men några pusselbitar finns senare i Frågeboken.

Hon skulle återvända till Blanche och Marie den minnesvärda eftermiddagen den 12 april 1913. Hennes liv i fortsättningen nästan blankt. Också Toulouse-Lautrecs teckningar upphör.

Hon var säkert inte särskilt sjuk på Salpêtrière, inte hysterisk, inte skadad, hon kunde gå, hon kunde dansa, ingenting i Slottet, som det ännu ligger där, vittnar om henne, bara teckningarna från åren som följde berättar om Jane; men aldrig om den första dansen. Teckningarna gjorde henne världsberömd, fast själv sjönk hon tillbaka i glömskan. Kanske var det detta hon ville fråga om, den första gången hon besökte Blanche, som å sin sida bara finns på en enda målning, den med professor Charcot inför åskådarna, och då vanmäktig.

Bilderna av Jane tiger om Salpêtrière.

Jane Avril skrevs ut. De enda sviterna av hennes mentalsjukdom, som kanske inte fanns, och som kanske botades på Salpêtrière, var nu små egendomliga ryckningar i hennes näsborrar, som får hennes näsa att rycka som en kanins.

III

Sången om flakvagnen

1.

Jag föreställer mig ofta att mötet mellan Blanche, Jane Avril och Marie var ganska fint, lite stillsamt, och lyckligt. Noteringarna i Frågeboken är kortfattade. En nedkastad och förbryllande replik: *Jag får i alla fall behålla maten.*

Det var det första och sista mötet mellan Marie och Jane Avril, en månad innan Blanche dog. Det var enda gången med de tre kvinnorna. Blanche skrev ner mötet i Frågeboken, sista sidan.

Hon hade väl tänkt det som en utgångspunkt.

De två andra hade rullat ut Blanche i trälådan på terrassen, och så hade de suttit där, Marie hade sagt något om att hon i varje fall fick behålla maten. Då hade de förstått att hon skulle kunna överleva.

De hade tittat ut på träden, det hade varit ganska fint, och sedan sågs de aldrig mer.

Efter Maries sammanbrott när älskaren Paul hade lämnat henne, och efter det andra nobelpriset 1911, det i kemi, skriver Blanche under en period endast mycket kortfattat i Frågeboken, och använder aldrig ordet "kärlek".

Det är som om hon tröttnat, eller gripits av raseri.

Det andra notesblocket, det svarta, skiljer sig från de andra. Maries sammanbrott berörs bara i egendomliga poetiska bilder: de befinner sig i Paris, men bilderna är arktiska.

Kanske skriver Blanche om sig själv. Ligger man i en trälåda är det naturligt att drömma om expeditioner till Grönland. Då döljer hon sig i Marie, som går genom ett snölandskap, pulsar i djup snö upp mot mörka och obebodda hus, begravs i isgrav, krossas under fallande träd i ett snölandskap.

Blanche skriver med höger hand. Det är den som är kvar.

Jag har inte redovisat kärran.

Efter den sista amputeringen rörde sig Blanche allt mindre, tillbringade sin mesta tid i sängen; men för att ge henne viss rörlighet hade Marie låtit tillverka en liten vagnliknande kärra där hon, sittande i trälådan, med händernas hjälp (eller handens!) kunde rulla sig genom rummet.

Och så plötsligt en prosadikt om professor Marie Curie på expedition över de arktiska isvidderna, gladlynt! och i träkärran!

Hon vill ge bilder till tröst. Hon påstår att hon nedtecknar Maries drömmar. En av dem handlar om den älskade makens död.

Det är den om fågeln i dimman.

Marie hade vaknat klockan 3.45, skriver Blanche, morgonen efter Pierres död, och drömmen hade varit alldeles levande. Hon hade strukit med handen mot sitt ansikte, mot kindens hud, för att veta att hon var vaken: drömmen hade varit mycket verklig, och hon mycket nära svaret. Hon hade stått intill en sjö, vid stranden. Det var inte havet, inte Saint-Malo, utan en insjö, kanske i Polen, en sjö i närheten av Zakopane.

Därute över sjön hade en egendomlig morgondimma hängt kvar, mörkret hade lyft men där fanns ännu ett svävande grått täcke, med ett slags mörkrets återsken; det svävade kanske tio meter över vattenytan som var absolut stilla och blank, som kvicksilver. Där fanns fåglar. De sov, inborrade i sig själva och sina drömmar. Hon hade tänkt: är det så att fåglar kan drömma? Dimman hängde så lågt att den bara lämnade vatten och fåglar kvar att se. Ingen bortre strand, bara en bred orörlig vattenyta. Ett oändligt hav kanske, fast hon var inte säker.

Marie föreställde sig då att hon befann sig på en yttersta strand, och framför henne ingenting.

En yttersta gräns. Och så fåglarna, inborrade i sina drömmar.

Plötsligt en rörelse, en fågel som lyfte. Hon hörde inte ett enda ljud, såg bara hur den piskade med vingspetsarna mot ytan, kom fri, lyfte snett uppåt: det skedde plötsligt, men lätt, nästan tyngdlöst. Hon såg hur den lyfte och steg upp mot dimmans grå tak, och försvann.

Inte ett ljud hade hon hört.

Hon hade stått stilla på stranden och väntat att drömmen skulle fortsätta, att en lösning skulle bli synlig, men ingenting hände. Så hade hon vaknat, och tänkt att så kanske det var när Pierre dog. Som en fågel som lyfter och stiger och plötsligt är borta.

Fri, hade hon tänkt, befriad. Sedan hade hon tänkt: ensam.

Hon hade stirrat i taket. Ingen skönhet alls, ingen frihet, hon hade erinrat sig att Pierre var död, och känt den vanliga förtvivlan och sorgen välla in genom gryningen. Drömmen hade tunnats ut. Plötsligt var hon osäker.

Kanske handlade inte drömmen om Pierre, utan om henne själv.

Marie hade senare försökt förklara *den geografiska bakgrunden.*

Förklaringen var enkel, hade hon sagt. Marie hade varit tolv år. Det var i Zakopane. Hon skulle åka kälke utför en backe, berget var högt, de lågt liggande molnen bredde ut sig som ett täcke över backens mitt. Hon var lite rädd, på det andlösa sätt hon älskade. Man ropade på henne, nere från dalen, osynliga röster från molnets fot: Ge dig iväg, Marie!

Hon visste att om hon gav sig iväg skulle hon känna sig skräckslagen, och fri.

Så hade hon andats djupt. Marie! Marie! Och så bar

det av. Det var drömmens hela innebörd. Så tänkte hon sig kärleken.

2.

Marie! Marie! Och så bar det av.

Enkelt? Nej inte så enkelt.

Pierre var hennes tredje kärlek, anförtrodde hon Blanche. De två första fanns i hennes ungdom, i Polen.

Den tredje var Pierre.

Hon mindes första gången hon sett Pierre Curie. Han hade stått i ett balkongfönster och sett behändig ut. Sedan hade de samtalat om en roman av Zola, och om undrets möjlighet, i Lourdes. De hade börjat brevväxla. De bekände båda att de hade köldskador i själen. Därför skulle de inte ännu en gång kunna älska.

Själv använder hon uttrycket "frostskador".

Tre år senare gifte de sig, och fick med tiden två barn. Så dog Pierre. Det var hela historien, i kort sammandrag. Jag glömmer en sak. De tilldelades tillsammans ett nobelpris i fysik.

Nu är historien komplett. Det var Maries tredje kärlek.

Och den fjärde?

Hon erinrar sig början till den fjärde kärleken, den med Paul Langevin, den efter Pierres död.

Början ägde rum den 2 juni 1903.

Hon hade disputerat denna dag. Hon var lycklig.

Detta motstånd! detta förakt för kvinnorna vid universitetet! att hon varit den ena av de endast två kvinnor på nio tusen vid Sorbonne som disputerat! Men hon hade slagit sig igenom. Hon minns att det rådde en högtidlig stämning i universitetsaulan. Hennes släktingar från Polen hade anlänt. Allt hade förflutit lyckosamt.

Och så kvällen!

Den nygifte Ernest Rutherford, ännu ung och ej världsberömd, hade anlänt och oanmäld besökt makarna Curies laboratorium, men fått beskedet att alla befann sig i universitetets aula för Maries disputation. Han uppsökte då Paul Langevin, som bodde med sin familj i ett hus mittemot Montsouris-parken. Han arrangerade en fest, och inbjöd makarna Curie.

Det är då, skriver Blanche, som Marie stöts till av denne Paul, likt en biljardkula av sin kö! och rör sig likt biljardklotet! dock utan att förstå.

Efter middagen hade hela sällskapet gått ut i trädgården, anförda av Paul Langevin som älskvärt bjöd Marie armen.

Pierre Curie hade då tagit fram ett rör till hälften överdraget med zinksulfid, *det innehöll en ansenlig mängd radiumlösning som lyste starkt i mörkret. Det blev, menade Marie, en storartad final på en oförglömlig dag, och alla, särskilt Paul, hade förtrollats av skenet, vilket hade glatt henne.*

Hon hade sagt orden *hade förtrollats av skenet* med ett slags barnslig glädje som, står det i Frågeboken, hade gjort Blanche alldeles andlös.

Marie hade många ansikten, ett var det barnsliga, som hon inte kunde kontrollera. Sedan antog hon skräckslagen ett annat ansikte, *en annan ton*, och blev vetenskaplig, *det lugna världsberömda ansiktet* som Blanche ibland kallade *det hysteriska och katatona*. Hennes tredje kärlek, hävdade hon i samtalen med Blanche, alltså Pierre Curie, var något utöver det vanliga, och de fick också två barn.

Den efterföljande fjärde kärleken var dock dödlig. Hon visste det, därav lockelsen. Blanche frågade ofta Marie varför hon valde att destruera allt – anseende, karriär och lycka – för denna helt igenom onödiga fjärde kärlek. Hon visste ju att den hade drag av banalitet, och inte var henne värdig, och en gift man! *Ja! ja! ja ja ja!!!* kunde Marie då svara. *Sluta!*

Som om detta besinningslösa svar kunde förklara det besinningslösa!

Vid det första mötet vid den fjärde kärlekens början – hon använder verkligen detta sakliga språk, hon var ju också en erkänd matematiker – hade något oförklarligt lyst starkt i mörkret. Det skulle bli den bild Marie höll fast vid. Vid mötet med den tredje kärleken, Pierre, fanns intet av detta.

Alltså: ingen lockelse av död. Inte heller lik Blanches kärlek till Charcot, som ju Frågeboken egentligen säger sig handla om.

Detta ”egentligen”!

Vid det första mötet med Pierre Curie hade denne diskuterat Émile Zolas roman ”Lourdes”, och kallat miraklen i Lourdes ”en hädelse mot den vetenskapliga anden”. Marie hade instämt; hon hade berättat detta det första samtalet för Blanche.

– Alla har ett litet poem i sitt förflutna, hade då Blanche sagt, något som vid mogen ålder sedan framställs som en hädelse mot den vetenskapliga anden! Och så hade Blanche med ett skratt tillfogat att hon, på Salpêtrièresjukhuset, *upplevt fler underverk än det lilla helgonet i Lourdes kunnat drömma om.*

Marie hade bara förbluffad betraktat henne.

Pierres och Maries äktenskap skulle ju bli legendariskt. Deras lycka är en av kärlekshistoriens bäst dokumenterade.

Inför det som framtiden fastslagit som *historisk kärlek* har man ett tungt ansvar, om man är en del av den.

3.

Blanche vet ju inte vad kärlek ”egentligen” är.

Hon skriver om det, men bara om det hon inte förstår. Försöka förklara det man förstår, det går inte.

Betrakta bara fallet Pasqual och Maria Pinon!

Pasqual Pinon var ett mexikanskt monster som arbetade i gruva, ett monster som hade ett dubbelhuvud. Det andra huvudet var en kvinnas. Hon hette Maria.

De turnerade på 1920-talet i en amerikansk freakshow på västkusten. Hennes huvud växte ut uppe på hans, han bar henne som en gruvarbetare bär sin pannlampa. Hon var vacker. Hon var också svartsjuk på honom: om han talade med andra kvinnor, då sjöng hon ont. Det var ljudlöst, men han sprängdes nästan av smärtan. Det var ett normalt äktenskap på sitt sätt.

Skrev man om dem kunde man visa hur den normala kärleken var. Det var tanken.

Det går ju inte. ”*De levde och dog infångade i varandra. Först olyckligt, sedan – ja, det var väl lycka. Han bar henne som gruvarbetaren bär sin pannlampa; genom denna lampa föll mörker och ljus, det var som det brukar vara.*

I spegeln kunde han se hennes ansikte, ögonen som öppnades och slöts, de hjälplöst klippande ögonlocken, som hos ett infångat rådjurskid, munnen som försökte formulera ord som aldrig nådde honom. Hon hade ju inga stämband. Han rörde ofta sakta vid hennes kind, i hjälplöshet. Han hade velat kyssa henne, men kunde ju inte. Han tyckte, när han såg henne i sin spegel, att hon var vacker. Han hade inte velat hålla henne fången, dock höll han henne fången. Det fanns en tid när hon hatade honom för detta.

Sedan hade hon förstått.

Hon infångad i hans huvud, han infångad i hennes. Infångade i varandra levde de tätt intill den yttersta gränsen, deras äktenskap var ett tillstånd inte utöver det vanliga, men kanske tydligare. Hela sitt liv bar han hen-

ne, först med raseri och hat, sedan med tålamod och resignation, till sist med kärlek.

De sista åren ville han alltid somna med handen mot hennes kind."

4.

Marie! Marie! Och så bar det av.

En annan fråga, formulerad betydligt senare i Frågeboken, med ett annat tonfall: **Vad menade Marie vid denna tid med kärlek?**

Man får treva sig fram. Man får inte ge upp.

Marie var lycklig när hon, efter en penningdonation av baron Edmond de Rothschild, kunnat förvärva tio ton pechbländeslagg, som var rester efter utvinning av uran, och som alla utom Marie och Pierre Curie betraktade som värdelöst.

Marie var lycklig när säckarna med den bruna slaggen, uppblandad med tallbarr, anlände. Hon undervisar Blanche hur materialet ska hanteras; det är ett tungt arbete. Marie och Blanche måste bearbeta så mycket som tjugo kilo råvara åt gången, och överallt i det skjul som de kallade "laboratorium" stod stora kärl, bräddfulla med olika fällningar och lösningar.

"Det var slitsamt att flytta ut behållarna, att hälla över lösningarna och stå och röra den sjudande massan i gjutjärnspannan timmar i sträck för att på detta sätt separera radium från barium, vilket var svårare än att isolera polonium från vismut."

Det är nu Marie formulerar sin dåvarande dröm om kärlek.

”Pierre och jag var fullständigt absorberade av att tränga in i de nya fält som öppnade sig för oss tack vare upptäckten av radium, som var så föga väntad. Och vi var mycket lyckliga trots att arbetsförhållandena var så påfrestande. Vi var hela dagarna i laboratoriet, oftast åt vi en liten enkel studentlunch på plats. Ett stort lugn rådde i vårt torftiga fallfärdiga skjul. Då och då medan vi övervakade någon process promenerade vi runt ute på gården och talade om vårt arbete, både det som var för handen och det som väntade. När vi blev frusna piggade vi upp oss med en kopp te som vi intog framför kaminen.

Vi levde som i en dröm, fullkomligt uppslukade av våra tankar.”

Kärlek till arbetet, men också till Pierre.

Blanche skriver ner, tonfallet hoppfullt, nästan entusiastiskt. Man måste, som vore det en målning föreställande en spetsknypplerska, med nedböjt huvud, med allvar, sorg, inte med synlig kropp, föreställa sig Blanche där hon ligger i sin låda, med båda benen amputerade, alltmer besatt av att finna nyckeln till kärleken, lidelsen och livet. Blanche Wittman, en av 1800-talets sensuella legender, föremål för så mycken hemlig dyrkan av alla dessa män som betraktat henne, men ej fått röra!

Och hur hon vill förstå där i sin låda.

Blanche försöker oförtrutet förstå.

Det vetenskapliga arbetet med att spåra och isolera det ämne man ännu ej hade ett namn på, men senare skulle kalla radium, var *ett påkostande och spännande arbete*, skriver Blanche. Hon identifierar sig starkt med Marie, nästan högmodigt; en laboratorieassistent som en gång varit världsberömd som *något annat:* ett medium vid Salpêtrièresjukhuset. Vilken förmätenhet.

Vad kunde hon lära Marie.

Pierre förekommer nästan inte i Frågeboken, han är svartsjukt utraderad. *Marie och jag fick stå hela dagarna och röra i sjudande massa med ett tungt järnspett som var nästan lika långt som vi själva. Vi var ofta ledbrutna av trötthet när dagen var till ända. Marie var dock lycklig, eftersom hennes strävan att isolera radium dessa år kröntes med framgång. Men ack, huru stora voro icke svårigheterna för henne, hur fick hon inte arbeta minutiöst och petnoga med fraktionerad kristallisering i sina försök att koncentrera radium. Då blev hon ofta irriterad på det kringflygande järnspånet och koldammet som hon nästan inte kunde skydda sina dyrbara produkter från; dock, det missmod som ibland infann sig hos henne efter en föga framgångsrik ansats varade inte länge, utan gav vika för en förnyad verksamhetslust. Därför kunde hon äntligen, i juli 1902, meddela att hon lyckats isolera ett decigram radium, och angav dess atomvikt till 225, alltså placerat efter barium i Mendelejevs periodiska system, i kolumnen med alkaliska jordartsmetaller.*

Det är de första åren av det tjugonde århundradet, samtidigt lämnar hon, utan högmod, en redogörelse *för den moderna världens tillblivelse.* Ibland Pierre Curie närvarande, ibland Blanche, någon frågar, någon skriver, ibland Blanche, ibland Marie, och alltid i centrum ett ämne kallat radium, gåtfullt lysande, fladdrande som kärleken, ännu inte dödligt.

Söker man en ny värld får man inte vara rädd för den gamla lera som kletar kring benen.

Det sista året av Pierres liv ägnade makarna Curie stort intresse åt ett kvinnligt medium vid namn Eusapia Palladino, som reste jorden runt för att "upprätta kontakter mellan de levandes och de dödas världar". Hon var född i en italiensk bergsby och hade som barn ramlat och slagit upp ett hål i huvudet; enligt en teori kom ur detta hål en "kall fläkt" när hon befann sig i trance.

Hon kunde också få stolar att dansa.

Pierre och Marie Curie mötte henne första gången 1905. De studerade henne i en serie seanser, och fann ingen förklaring. Varför skulle de också kunna det, när radiumstrålning ännu inte kunde förklaras? På eftermiddagen samma dag han dog talade Pierre på Fysikaliska sällskapet om fenomenet Eusapia Palladino, och pläderade entusiastiskt för det "övertygande och verkliga i fenomenet".

Två timmar senare var han död. Så var det. Varför

inte? Vad skiljer Blanches sökande från Pierres, eller Maries?

5.

Maries första två kärlekar fanns i Polen.

Det var innan Marie reste till kärlek tre och fyra, det var före tiden i Paris. Kanske var dock den allra första kärleken hennes hemland Polen. Hon är ofta rasande, men är det mot det tsaristiska förtrycket eller något annat? Som trettonåring, i ett samtal om Shakespeares "Othello", far hon ut i ett rasande angrepp på Desdemona: *Nej! och åter nej! vad var den "söta Desdemona" för en figur som kunde tillåta ett slag i ansiktet utan ett ord till protest! En sådan sak kan bara ett enfaldigt får tillåta!* En vän till henne hade försäkrat att en älskande hustru kunde tillåta mer än så, om detta krävdes för att blidka hennes make, men Marie hade då än mer ursinnigt genmält att *en människa som blir förolämpad å det grövsta väljer döden!* och så hade det fortsatt, i en helt annan riktning, *jag kan tåla en förolämpning, och även förlåta den, om den drabbar mig och ingen annan, men jag skulle aldrig förlåta att mitt fädernesland kränktes!*

Hennes första två kärlekar lämnade hon efter sig, som ormskinn, skriver Blanche med en överraskande giftighet. Med kärleken var det som med den polska kulturen och det polska språket. Förtrycket pressade kärleken ned under ytan. Till sist bröt sig kärleken loss.

Den var i denna mening en befrielserörelse och alltså dödlig, om frigjord. De ryska förtryckarna förföljde på alla sätt kärlekens princip, därför måste i hemlighet undervisningen i det polska språket och den polska kulturen fortsätta, för kärlekens skull.

Av den förste mannen, en ung officer, finns endast ett namn, och ett porträtt. Han kunde inte behärska henne, och blev efterlämnad.

Den andra kärleken lämnade hon också efter sig, och *gladdes åt det som varit*, på väg till Paris och forskningen.

Bilder visar henne strängt åtsnörd, med mycket smal midja och framträdande bröst. Hon ansågs hela sitt liv vacker, och sensuell, med undantag av händerna, som tidigt blev brännskadade och deformerade av radiumstrålningen. *I kärleksextasen gömde hon händerna i den andres hår, som av kärlek men kanske av skam*, noterar Blanche i Frågeboken. Hennes händer var ärriga. Kärleken hade bränt sig in i hennes händer, som vore hon ett djur och detta radium ett brännjärn.

Blanche använder ofta bilder. Den med brännjärn, och radium, återkommer.

Den hemlighetsfulla blå färg som kanske är en strålning. Och de försöker ständigt förklara den.

Maries reaktion på Pierres död?

I dossién om det mexikanska dubbelhövdade monstret Pasqual Pinon och hans hustru Maria finns något i dödsscenen.

Kanske där. Å om det bara funnes där!

"Han dog på kvällen den 21 april 1933 på ett sjukhus i Orange County i Los Angeles. Den sjuksköterska som vårdat honom det sista året, och som hette Helen, satt vid hans sida hela tiden. Hans död var smärtfri: när han dog, och det stora mörka ansiktet blev stilla och armen föll ner, då var det som när en fågel lyfter från sjön, ljudlöst och lätt, stiger genom nattdimman och blir borta: alldeles tyst, stilla. Så är den borta.

Enligt journalerna dog Maria åtta minuter efter honom.

När han dog hade hon först spärrat upp ögonen, med ett uttryck av oerhörd skräck, som om hon genast förstått vad som hänt; munnen, som i hela hennes liv försökt förmedla ett meddelande, rörde sig som om hon bad om hjälp. Men inte heller nu kom därur ljud. Inga ljud. Under några minuter var det som om hon desperat försökt ropa fram ett meddelande till någon där ute, kanske var det till honom, kanske försökte hon i skräck ropa honom tillbaka. Men fågeln hade lyft, nattdimman låg åter orörlig över sjön, och hon var ensam.

Vad ville hon ropa? Ingen vet. Kärlek ska man inte försöka förklara. Men vad vore vi, om vi inte försökte?

Så blev hon plötsligt alldeles lugn, och hennes ögon fylldes av tårar. Fågeln hade lyft, och hon var ensam; det var den andra gången de sett henne gråta. Den första gången var när hon suttit på husvagnens trappa, när krisen var över, och hundmannen smekt hennes kind med en fågels vingfjäder. Nu var det andra gången, men hon var lugn. Hon var beredd att ta det oerhörda steget in i den korta ensamheten, rakt ut i det svindlande tomrummet, men hon skulle klara det. Hon låg nu stilla, såg rakt upp, såg rakt igenom allting som om ingenting kunnat hindra henne. Så skilde sig läpparna långsamt, i ett mycket svagt men tydligt leende, hon slöt ögonen, och dog. Det var åtta minuter efter honom.

I åtta minuter hade hon varit ensam."

Både Pierre och Marie betraktade sig själva som människor i tillvarons periferi. I denna utkant var de sammansvetsade i ett sökande efter hemligheten. Det är denna symbios som är kärlekens hemlighet, hade Marie förklarat för Blanche.

Sammansvetsade?

Marie var en utanförstående, hon hade ju vuxit upp med Mickiewicz dikter och de polska patrioternas ursinniga och flammande appeller! elden! kallet! språket! så älskade hon att beskriva hur det var.

Så mötte hon Pierre, som var sonson till en kommunard.

Man kunde föreställa sig honom som en av de officerare Marie övergav i sin ungdom: man kunde föreställa sig honom som oerhört stark, som en värja, som just en kommunard; men plötsligt såg hon hur sjuk han var, och bräcklig.

Hostningarna. Det likbleka ansiktet.

Varför blektes dessa passionerade radiumälskare ur så egendomligt?

Ja, de blev urblekta, tunnades ut.

Var det det flackande blå ljuset? det kanske var det symbolistiska blå ljuset, eller dekadensens blå, eller Huysmans blå doftorglar: alla kunde tolka det nya seklets blå ljus på sitt sätt. Det var som om man anat att det kommande seklet skulle bli gåtfullt och förfärligt, och metaforerna blev infärgade av detta! Doftorglar! Medusa!

Men var kärleken också dödlig? sjukdomarna oförklarliga? livet urblekt? vad var det med Pierre, vad visste läkarna?

Läkarna och vetenskapen visste ingenting. De kunde ju inte säga ens vad felet varit med den egendomliga människan Blanche Wittman, Blanche! mediet! den hysterika från Salpêtrière som blivit frisk och stark tillsammans med ytterligare något tusental hysteriska kvinnor, men först när Charcot dog! hon som nu låg där i sin trälåda och skrev.

Skrev hon och Marie det nya seklets stora dikt?

Pierre kunde inte sova på nätterna på grund av värken i ryggen.

Han tyckte att kotpelaren förmultnade. De reste ut till Carolles, sedan till Saint-Malo; det var samma kust där Charcot en gång, många år tidigare, satt ett ihåligt vasstrå i munnen på sin bror medan tidvattnet långsamt höjt sig. Blanche hade berättat den historien, Marie hade undrat, vantrogen. *Han täcker över förbrytelsen kärlek med ett annat brott!* Men nu gick Pierre hopsjunken och tyst på den av tidvattnet frilagda stranden, var det leukemi? eller cancer? varför var han så tyst?

Han var fyrtiosex år. Han var alltid trött. De grälade ibland om detta. Den sista dagen stannade Marie i Saint-Rémy för att ligga i solen. Pierre tog tåget in. De grälade. Hon ville inte bli lämnad ensam.

Inte ens åtta minuter! Inte ens så länge!

Ändå drömmen om fågeln, som lyfter, och är fri. Isslätt. Och långt senare: drömmen om kärleken på väg till döden i Nome.

Pierre hade som ung, berättade han för Marie, haft en erfarenhet av kärlek som smärtat. Den unga kvinna han älskat hade dött endast tjugo år gammal.

Han bekände bara detta: "dött" var ordet han använt. Inte "begått självmord" eller "avlivat sig själv eftersom jag svikit henne" eller "stilla avlidit i tron på sin Frälsare".

Hon dog. Han kände skuld.

Han lovade då sig själv att i fortsättningen leva sitt liv i celibat. Så träffade han Marie, han berättade historien, de gifte sig, de fick två barn, och han dog.

Frostskador i själen! En påle i kärleken!

Marie trodde alltid att hela historien med den döda unga kvinnan var uppdiktad. Att han helt enkelt var skräckslagen för Marie. Att hon varit alltför levande för honom. Hon hade klagat för Blanche: varför har alla män denna skräck för helt igenom levande kvinnor, så att de förväxlar styrka med död, och flyr.

– Det är sant, hade Blanche svarat. Du är inte stark, men levande, och det är ohyggligt skrämmande för dem som inte förstår.

Hade hon sagt. Blanche! Hon! I sin trälåda! Kuperad! Förkortad till en torso! Med denna anteckningsbok ständigt i sin hand! Och tror sig i grunden tala om sig själv!

Det är motbjudande.

Det är höst när jag skriver detta, avlövade träd. Snart kommer snön, vilken lättnad. Jag återvänder ständigt till Pasqual Pinon och hans Maria. Kan man någonsin bli färdig med dem? Och så rädslan att, om man blir färdig, ett svar ska finnas som förintar allt.

Det får inte finnas ett svar.

Blanche i sin rullande trälåda, och med sin besatthet av Maries kärlekar. Varför klängde hon sig fast vid Marie Curie? *Marie! Marie! Och så bar det hän.*

Den svåra konsten att bli kvitt Marie, och ge sig hän till Blanche där hon ligger i sin hopsnickrade låda.

Marie föreställde sig att begreppen kärlek och skuld var oupplösligt förenade.

Därför var Pierres ensamma vandring den sista kvällen av hans liv så kristallklart tydlig för henne. Han skulle gå sin sista skuldfyllda vandring mot döden i det alltmer piskande regnet, och det var hennes fel, eftersom hon inte älskade honom men väl deras gemensamma expedition in i den mörka kontinent som var det tjugonde århundradet. Men så kunde man inte säga. Det var ju bara cyniskt.

Hon kanske ville bli fri.

Det var därför hon ständigt försäkrade Pierre hur bunden hon var vid honom. Det var också sant. Att försäkra honom om sin kärlek blev livsmålet. Så grälade de under detta sista dygn, det var ett av deras alltmer intensiva och utmattande gräl, inte långt, inte kort, bara utmattande; sedan hade han tagit tåget in till Paris, och hon såg honom aldrig mer.

6.

Historien om Maries tredje kärlek avslutades vid 18-tiden den 19 april 1906, då Pierre förolyckades vid den punkt där rue Dauphine strålar samman med Pont-Neuf.

Det regnade. Korsningen var intensivt trafikerad. Pierre hade klivit ut i körbanan för att korsa gatan då en nio meter lång flakvagn, enligt polisprotokollet "fulllastad med uniformstyger" och dragen av två mycket stora åkarkampar, i hög fart kom utsvängande från Pont-Neuf. Kusken, en pensionerad mjölkutkörare vid namn Louis Manin, uppmärksammade då en spårvagn från höger på Quai Conti och höll in hästarna; men spårvagnsföraren gav tecken till kusken att han kunde passera. Kusken Manin hade nästan passerat korsningen då en gestalt dök upp bakom en passerande droska. Det var den kände nobelpristagaren i fysik Pierre Curie som stötte samman med den ena hästens bog och försökte gripa tag i hästens man. De båda hästarna stegrade sig då, och mannen, som först senare identifierades som nobelpristagaren Curie, tycktes ha svårigheter att röra sig smidigt. I själva verket hade han framstått som egendomligt kraftlös och viljesvag, kanske på grund av någon sjukdom som kusken Manin ju självfallet inte kände till, och heller ingen annan vid denna tidpunkt eller ens senare visste om.

Kort sagt: mannen stupade i gatan.

Kusken försökte då styra ekipaget till vänster, och framhjulet på den tungt lastade vagnen som transporterade uniformstyger i stora packar lyckades faktiskt undvika den liggande nobelpristagaren, men det av järn armerade bakhjulet rullade rakt över Curies huvud och krossade detta. Vagnen vägde sex ton.

Döden var ögonblicklig och inträffade, kunde tidningarna berätta, samtidigt med att rapporterna inkom om den stora jordbävningen i San Francisco, och under samma tidsperiod som en stor väckelse uppstod i Los Angeles där en negerpredikant vid namn Seymour mottog andedop och berördes av tungor av eld, som vid den första pingsten, beskriven i Apostlagärningarna, och hur då de tusen talens gåva nedsteg från himlen och han talade i tungor och en stor väckelse tog sin början, som senare skulle kallas pingstväckelsen, och som, likt den gnista som tände en präriebrand, orsakade att allting brann!

prärien! lidelsen! kärleken! Och på detta sätt, i regn, i blod, i förvirring, i rationalitet och i försök att ta stegen in i människans mörka framtid, tog det tjugonde århundradet sin början. Så! Just så! med en rad på intet sätt sammanhängande händelser, och man meddelade Marie: han är död, han är död, det är han, är det ingen som kan förbarma sig över kvinnan! ni ser ju hur hon har det!

Man tillropade hustrun Marie, och hon kom. Och han var död. Inget att göra åt detta. Alla ska vi dö. Fast han var ju så ung.

Och måste hon då icke ta det svindlande steget in i ensamheten?

Det var så Maries tredje kärlek slutade. Hans huvud krossades. På intet sätt likt en fågel som lättar från vattenytan och försvinner i dimman, nej hans skalle krossades helt enkelt av den sex ton tunga vagnen, och så var det slut.

Och så tog det slut. Det var så Marie förstod varför hon älskat honom så fruktansvärt, och detta skulle Blanche nedteckna i sin bok, för att förstå, och hon gav inte upp.

Marie, Maria. Och så bar det av rakt in i det svindlande svarta hål som var havsens djupaste mörker.

7.

De hade fått tag på henne och sagt att han var död.

Blanche hade frågat: hur såg han ut? Marie hade inte förstått, hon satt på golvet vid träkärran och hade låst dörren ut till de andra, hur såg han ut? Du måste berätta hur han såg ut, Marie, annars blir du tokig. Jag vill inte, hade Marie sagt, du vill, hade Blanche sagt. Du såg honom. Du måste berätta, som om det var ett likkort du hade framför dig, hur såg han ut? Ansiktet, hade Marie sagt, var fridfullt, läpparna som jag brukade kalla *gourmandes* var bleka och färglösa, sedan hade hon tystnat, fortsätt, hade Blanche sagt. Det måste ha blött nånting fruktansvärt, hade Marie sagt, jag kan inte mer. Fortsätt, hade Blanche sagt. Vilken fruktansvärd stöt, hade Marie viskat, håret syntes knappt under det levrade blodet, *för det är där såret är,* och på högra sidan ser man pannbenet sticka ut.

Så hade hon blivit tyst, hela eftermiddagen. Som om hon med detta berättat hela hemligheten om sin kärlek till Pierre. Och fått Blanche att förstå det fruktansvärda i att upptäcka kärleken just när den sprungit iväg för alltid, i regnet, över gatan, under hästarna, under järnhjulet, snabbt och inte vackert, inte som fågeln som lyfter, men borta.

I tre år förblev hon tyst. Och alla visste att madame Marie Curie nu gått in i den grå sinnessjukdom som kallas sorg, och att hon gjort det eftersom hon först nu förstått vad hon älskat, och att det nu var för sent.

Och den enda enda enda hon kunde berätta detta för var Blanche, det lilla amputerade monstret i trävagnen, hon som en gång upplevt kärleken och lärt sig kärlekens plågsamma läxa och innersta hemlighet.

Marie! Ge dig i väg! Stanna inte! Se dig inte om!

Jag har alltid undrat hur det är, för den som överlever, när en kärlek tar slut nästan innan den börjat. Undrar man måste man leta, och ta om. Inget fel i det.

Min egen far dog när jag var sex månader gammal. Amputerad från mig, det oskyldiga barnet! Utan sorg och saknad! Jag menar, det är vad man säger. Det var i mars; efteråt tog hon bussen från sjukstugan i Bureå och man släppte av mamma nere vid spånhyveln och hon pulsade genom snön upp till skogsbrynet där huset låg. Det var sen kväll och huset var mörkt och en granne som bodde åt Hedmans till hade tagit hand om mig medan han dog. Någon i byn varslade månaden innan att tre män skulle dö, och tre män dog. Han hade drömt att tre tallar föll, och vaknat, och förstått. Det var tecknet. Allting nära döden var fullt av hemliga tecken som kunde tolkas, som poesi. Död framtvingade poesi bland skogsarbetare, men dessa norrländska skogshuggare kunde knappast undgå att varje natt drömma om träd som föll: träd föll ju alltid. En granne som fått en tall över sig hade legat fastklämd i tjugo timmar i djupsnön, och man fann honom, ihjälfrusen. Han hade haft högra armen fri, och i snön tecknat ett sista meddelande, med fingret: GULLE DIG MARIA JAG, och så hade han inte nått längre med armen. Poesi? Mer dödsruna. Träd föll ständigt, men inte alla träd hade innebörd; man lärde sig skilja mellan dröm och dröm.

Chauffören, det var Marklin, hade stannat vid spånhyveln och frågat bakåt i bussen om det inte var någon som kunde förbarma sig över henne, han hade uttryckligen sagt *förbarma sig över henne,* men hon hade inte velat ta emot hjälp eftersom hon varit så eländig och inte velat visa sig.

Han var ju ung när han dog. Det känns som en lättnad att slippa tänka på Blanche och Marie och Pierre och i stället tänka på honom. Amputerad! Jag reste upp och träffade den siste av hans bröder. Han grät fortfarande med lätthet på tal om min far. Det gör alla i familjen. Och alla som känt min far hade *minnesbilder* men ingen kunde riktigt säga hur han var. Likbilderna, fotografierna av honom i kistan, har jag ju kvar. Hoppla! Hoppla!!! Det vimlade av likbilder från den tiden och på några av dem var han så lik mig att världen välte och nästan försvann, men jag bemannade mig. Ingen kunde säga hur han var. *Minnesbilder hava vi gott om men icke mer än detta.* Det hade ju nästan gått sjuttio år, vad kan man minnas, och så blev det väl för Marie Skłodowska Curie också. Det var lättare att beskriva pannbenet som stack ut, men hur han var, det försvann i hanteringen.

– Marie, hade Blanche sagt, berätta då hur han var, inte hur han såg ut. Men Marie kunde inte, och så gick hon in i den långa väntan som var tomheten innan den fjärde kärleken kom. Tomheten och förtvivlan varade i tre år och någonting följde, men för henne som lämnade Marklins buss och pulsade upp genom djupsnön till huset varade det livet ut, och ingenting följde. Man kan fråga sig om rättvisan i detta, men kanske Blanche hade ett svar i sina anteckningsböcker, de som ägde hemligheten om kärleken, den som fanns, eller förvärvades, eller den som för alltid förmenades någon.

Marie, Maria. Och så bar det av.

Vad var det hos Marie som påminde om min mor.

Någon går upp mot huset i skogen, i djupsnö, trettiotvå år gammal, vacker, stillsam, förtvivlad och ännu inte så hård som kärlekens bottenlösa frånvaro kan göra en människa. Och framför ligger femtiosex år av ensamhet, som hon valde alldeles själv, i sin dårskap. Men Marie tog steget, rakt in i kärlekens svarta svindlande mörker, sen var det mycket fint i sex månader, och så katastrofen.

Men de måste ju båda haft en föreställning om vad kärleken borde vara. Var det inte så? För helvete, det måste ju ha varit så.

Tre långa år vistades Marie i Limbo.

Sedan kom hon ut. Det var mycket överraskande för alla. Också barnen hade vant sig vid att hon levde i sorg, och hade beslutat sig att aldrig lämna sorgen. Hon vårdade med utslocknat och grått ansikte de små, inneslöt sig sedan med Blanche och sitt arbete.

Så en dag i april uppsökte hon, utan att vara inviterad, sina gamla vänner familjen Borel. Hon drack kaffe med dem. Hon hade inte sin vanliga svarta klänning, utan en vit klänning med ros i midjan.

De såg att hon var lycklig. Något hade hänt. Hon berättade inte. Det var inledningen till katastrofen.

Ensam. Men bara i åtta minuter!

Man behöver ju inte foga sig. Det gives alltid något bättre än döden. Vem kunde klandra henne?

Många, skulle det visa sig.

IV

Sången om vagnmakarens pojke

1.

Statyn av Charcot utanför ingången till Salpêtrièresjukhuset smältes ner 1942 av tyskarna, metallen överfördes till vapenindustrin. Porträtten av honom visar hans orubbliga stenansikte, de är tecknade i samtiden och utvisar den bild han önskade förmedla till framtiden.

Blanche måste ha sett rakt igenom.

Texter om Charcot finns det gott om. Dokument skrivs alltid av dem som kan skriva, samt av segrarna. Det är också önskvärt att de sparas, annars bara tystnad. Det begränsar dock sanningens räckvidd. Om den personliga relationen mellan Charcot och Blanche Wittman nästan ingenting. Hennes egen tredelade Frågebok är därför unik.

Hon ville väl helt enkelt berätta sin historia, men kom att glida in i Maries. Hon tyckte kanske inte att hon dög själv. Marie var något annat, något mer storartat. Tragedier bör ju vara storartade, inte som Blanches egendomliga amputerade tragedi. Där hon låg i sin trälåda kanske det inte var så lätt att se att man dög. Så kan det gå.

Mycket tal om kärlek. Få svar.
Men hon har en historia.

2.

Den kväll han övertalade Blanche att ledsaga honom på den sista resan till Morvan hade Charcot ett långt och mycket personligt samtal med henne.

Han berättade överraskande mycket om den första delen av sitt liv, särskilt barnaåren.

Texten är nu lugn i tonen. Det är uppenbart att hon älskat honom, trots allt som hänt, och att hon aldrig hyst hat eller misstro. Han hade varit *lågmäld och behändig*, skriver hon, nästan som den sista natten i Morvan.

Han var rädd för döden. När han berättade om Saint-Malo tycktes han mycket ung, och blyg.

Han föddes i Paris, tillbringade en sommar i Saint-Malo. Den sommaren är den enda från barndomen han talar om.

Han säger sig känna fruktan för kusten utanför Saint-Malo. Denna kust hade varit hans stora läromästare. Det var tidvattnet som skrämde, skillnaden var sexton meter, det var utom kontroll. Det som var utom kontroll var det mest lockande och mest skrämmande, därför hade han senare ägnat sig åt detta. Denna kust, hade han sagt, är som människans själ: människan friläggs och övertäcks i rytmer som Guds ande bestämt.

Det är bara en bild, betyder intet annat: han är inte troende. *Det heliga hos människan är som ebb och flod – det frilägger och övertäcker människans själ* – han säger sig känna respekt för havets tunga andning.

Allting som så grundligt avtäcks är nödvändigt och skrämmande. *Att torrlägga en människas inre, så att krabbor, havsväxter och snäckor blir åtkomliga, detta skrämde honom.* I Saint-Malo vid den franska kusten, intill den engelska kanalen, var ebben mycket stark och frilade stranden kilometervis; han och hans yngre bror gick ut över den torrlagda havsbottnen och sedan, när floden långsamt kom, följde de den växande havslinjen in mot räddningen. Först gående, lekfullt och överlägset, sedan springande, sedan i panik med flodvågen rullande upp över fötter och knän och till sist nästan till höfterna, då till sist *den frälsande stranden uppnåddes av de två utmattade barnen.*

Charcot var rädd för att känna hjälplöshet inför döden. När det var dags fick man inte ha det viktiga ogjort.

Det gällde särskilt kärleken. Då skulle döden vara som att slungas in i evighetens fruktansvärda svarta hål. När den kom ville han hålla döden själv i sin hand, med ett litet leende, *det är redan fullbordat, kom.* Det som fyllde honom med skräck var det ofullbordade. Kärleken till Blanche var ofullbordad. Han hade talat hela natten om just kusten vid Saint-Malo. Han uppehöll sig särskilt vid en episod när hans bror, oförsiktigt, hade lekt intill en klippmur vid stranden och under leken fastnat med foten mellan två stenar. Först hade hans kamrater inte hört hans rop på hjälp, och inte tagit hans situation på allvar; men när floden hade börjat stiga hade pojkens nödrop blivit allt gällare, och man hade observerat hans nödläge.

Charcot – alltså den äldre brodern – hade försökt få loss den yngre broderns fot, vattnet hade stigit med oväntad fart och foten hade suttit fast och inte låtit sig rubbas. Man hade sprungit efter hjälp. Vattnet hade då nått upp till pojkens bröst, och man förstod att han skulle dränkas inom femton till tjugo minuter; Charcot erinrar sig att den nödställde broderns ögon varit så fyllda av förtvivlan att Charcot i sin nöd först vänt sig till Frälsaren Jesus Kristus i en innerlig bön om nåd och förskoning, men att broderns förtvivlade skrik på hjälp, *med ett ljud liknande skrikande sjöfåglars,* hade blivit så hjärtskärande att han avbrutit sin åkallan och sprungit upp till stranden där en hög av ilandspolad vass funnits. Han hade då tagit en knippa av dessa ihåliga rör, valt det största, sprungit ner till sin bror vars huvud nu endast med yttersta möda hölls över vattenytan, stuckit in röret i broderns mun och tillsagt honom att, om vattnet steg över hans huvud, andas genom röret. Vattnet hade då stigit över broderns huvud, och någon räddning var ännu ej i sikte; man kunde anta att foten med till exempel ett järnspett kunde lossas, och att någon vuxen välgörare, springande, med detta spett i handen och under lugnande tillrop, skulle rusa ner till den nödställde. Charcot hade iakttagit hur broderns förtvivlade och vilt uppspärrade ögon hade översköljts av vattnet, att ett väsande, flåsande läte hade hörts från vassrörets övre ände, det ljud som förkunnade att röret lät den livgivande luften sugas ned till brodern, nu ännu med foten fastlåst i ett dödsbringande grepp. Charcot hade hållit vassröret lodrätt med hjälp av sin högra hand, och med den andra krampaktigt hållit broderns ena hand, och på detta sätt ångestfullt inväntat ljudet av en välgörares springande steg, *en välgörare, kanske med ett järnspett i handen* eller, som det kanske skulle eller borde visa sig, *med en yxa, eller kanske en såg.*

När hon skriver detta i Frågeboken är tonen ännu en annan, och vetenskapligare. Det är här hon ägnar stor omsorg åt att beskriva älskarens uppväxt och tidiga karriär.

Han är fjärde sonen och modern dör när han är fem år, de flyttar tillbaka till Paris, pappan var vagnmakare, *men som barn träffade C. många celebriteter,* understruket av henne som om det hade betydelse; hon nämner Delacroix, målaren, men också att Charcot fick närvara vid en repetition av ”Orfeo”. Han blev då hänförd. I det kvarter han växte upp fanns många teatrar och nöjesetablissemang, han blir ofta hänförd.

Hänförelsen är det genomgående. Hon nämner aldrig någonsin Charcot vid förnamn.

När han tillträder arbetet på Salpêtrièresjukhuset noterar han att patienterna lever i smuts och är *sexuellt svältfödda,* de tillfredsställer sig själva på ett närmast maniskt sätt, och att de omkring sex tusen kvinnorna är en *oregerlig massa* – han har använt just dessa ord – men att några av patienterna visar *teatral begåvning utöver det vanliga,* och detta konstnärliga inslag förbluffar och hänför honom. Han nämner, utan att vara tillfrågad, Jane Avril; Blanche inskjuter då *hon som dansade likt en fjäril som flytt ifrån himlen,* han reagerar inte, hon noterar det.

Kanske blir han också där hänförd, men bemannar sig.

Alla fotografier av Charcot visar ett stenansikte, ändå skriver hon gång på gång att han blir ”hänförd”. Faderns vagnmakarklienter är socialt välansedda. Under repetitionen av ”Orfeo” lade C. märke till en sångare som sjöng hänförande. De onanerande kvinnorna på Salpêtrière skrämde honom, men han bemannade sig alltid. Det var viktigt att ge dem bättre mat, och rensa upp i de mycket nedsmutsade salarna.

Han kallar sig upplysningsman. Han motiverar detta med det sociala engagemanget för patienternas hygien, och med hänförelsen.

Modern hade dött i barnsäng. Orden ”hänförd” och ”bemanna sig” återkommer i Frågeboken. När han räddat brodern hade han bemannat sig och använt sågen, och efteråt hade brodern flera gånger tackat honom för detta.

C. utbildade sig till läkare. Hans bröder blev respektive vagnmakare (den enbente), soldat och sjöman. C. var bäst i sin klass. Han *hade sinne för det logiska i Des-*

cartes resonemangskedjor. När han blev hembjuden till en kamrats familj fanns där ett djurskelett som gjorde honom fascinerad av också den mänskliga kroppen och alla dess beståndsdelar. Han betecknar sig som positivist, och säger sig ha studerat de magra tiggarna på trottoarerna i Paris för att bättre kunna se och förstå vad som är människans inre: med detta menar han, ännu, *skelettet och kroppsdelarna*. Han är, upprepar han, upplysningsman. Han förkastar religionen, ett stadium i människans utveckling som bör övervinnas. Han önskar fakta och detaljer om det obegripliga. Han kommer som ung läkare till Salpêtrièresjukhuset, och ser där sex tusen instängda kvinnor som lever i ett helvete; han använder inte ordet helvete men beskriver de fruktansvärda förhållanden de lever under med inlevelse och spänd nyfikenhet.

Orden ”spänd nyfikenhet” bör vara Blanches egen tolkning. Hon kände honom ju. *Till sist*, skriver hon på slutet i Frågeboken, *var det bara djuren och mig han egentligen älskade*. Någon Gud tror han inte på. När han en gång anropat Gud hade denne inte svarat, då hade C. tillgripit sågen. Guds ande var som ebb och flod, avtäckte och dödade; människans uppgift var att trotsa.

Menade han verkligen sågen?

1844 flyttar han till ett eget rum i det lilla pensionatet på rue Hautefeuille, går upp varje morgon vid halvfemtiden, tvättar sig i kallt vatten, värmer kaffe över *den förbjudna fotogenlampan* och går sedan till praktiktjänsten på sjukhuset. Han är ännu ung. På bilder ser han behändig ut. Han arbetar på sjukhuset till lunch, och säger sig sedan studera på biblioteket fram till föreläsningarna mellan fyra och sex. Middag halv åtta. Sedan studerar han till midnatt. C. är ännu ung och noga med hygienen, eftersom han inte ser sig någon annan levandes råd eller utväg.

På sjukhuset vill han inte bli smittad, som modern, *som dog i en obducents kärleksfulla händer*. Det var i barnsäng.

Det är inte oskuld, inte ironi, utan hat som finns i ordet "kärleksfulla". Han tvättar sig ofta. Vid obduktionerna av lik var kropparna inte nedkylda, endast dränkta i formalin. Ibland, när han gick genom gatorna på hemväg från sjukhuset, inbillade han sig att han luktade, och att man därför med avsky såg på honom. Han är en ung och fullständigt normal läkare, och ser behändig ut. Sin första praktikplats får han på ett kvinnoslott som heter Salpêtrière. Vad ska han göra?

Han tvättar sig eftersom smittrisken är betydlig. Han är upplysningsman. Ännu har han inte börjat älska djuren mer än människan.

Han säger, enligt Frågeboken, till Blanche: *Vi kan inte undvika livets smuts.* Han tycks ha betraktat människan som en maskin. Han är ännu ung, han är så ung att det måste betecknas som ett fel att döda honom, skriver hon mycket överraskande. *När jag föreställer mig denne unge vetenskapsman, så som han måste ha framstått för dem som sågo honom, fylls mitt hjärta av kärlek och önskan att ha mött honom redan då.* Hon tillägger en sida senare, som en eftertanke, att det alltid måste vara fel att döda en människa, *eftersom detta strider mot principen om livets helighet.*

När han är trettionio år gifter han sig med Augustine Durvis, en änka med en sjuårig dotter. Han har då egen praktik med prominenta kunder. När kriget bryter ut 1870 flyttar familjen till London, men C. stannar kvar på sjukhuset, som under några månader blir krigssjukhus. Han har sympatier för kommunarderna.

Man måste vidhålla att han är en upplysningsman.

Hysterin fascinerade Charcot eftersom han där kunde finna *en blandning av kaos och ordning* som tilltalade honom just som upplysningsman. Det fanns i hysterin, menade han, ett visst system, en hemlig kod, som, om avslöjad, kunde ge anvisningar till meningen med livet: denna blandning av kaos och ordning ägde en närmast musikalisk form, var en komposition i form av andante, allegro och adagio. De hysteriska kriserna, som han lyckades framkalla genom uppfinningen av – eller, som han också menade, upptäckten av – tryckpunkterna på den mänskliga kroppen, dessa kriser började med auran, fortsatte med epileptiska, kloniska konvulsioner, därefter dessa *attitudes passionnelles* som så förbryllade åskådarna, till sist den mer avslappande och känslosamma fasen.

Det var människan som symfoni. Han hade alltid velat bli tonsättare.

C. duade sina patienter, antingen de kom från en hög

eller låg socialgrupp. Av kompositörer var han mest förtjust i Beethoven, Gluck, Mozart och Vivaldi. Han var en god tecknare, särskilt skicklig som karikatyrist, och var speciellt fascinerad av dvärgar. Han var senare djurvän, och ägde en markatta vid namn Zibidie. Det fanns en fundamental melankoli i hans väsen som Blanche säger sig inte förstå, och som gör henne förtvivlad. Zibidie väntade på honom varje kväll när han kom hem, han konstaterade med förtjusning att hon tycktes äga en inbyggd klocka, *liksom jag själv.* Apan matades vid bordet, satt alltid i barnstol intill Charcot, matades med silversked. Han var en god far, men älskade sin markatta. Hon hade en egen servett med monogram inbroderat. När hon menstruerade fick hon bära en vaxliknande trosa i en rosa färg. C. påstod sig ha lärt mycket av apan, alltså om den mänskliga naturen.

Apan hade också *nervösa dagar.*

Han ansåg på höjden av sin bana, och före den katastrofala förälskelsen i Blanche som förintade hans vetenskapliga förnuft, att till syvende och sist djur ändå var bättre än människor. Ordet desillusion återkommer. Han fick barn. Ingenting om hans förhållande till hustrun. Ofta önskar jag mig, säger han en gång till Blanche, att jag vore patient och inte läkare. Varför, hade hon frågat. Han hade då stirrat på henne, inte med det vanliga behändiga uttrycket i sitt ansikte, utan i raseri och förtvivlan, men snabbt bemannat sig och slagit bort hennes fråga med ett skämt.

På det hus han köpte i Neuilly lät han på fasaden, på

franska, inhugga ett citat av Dante.

Det är från Inferno, tredje sången, 49:e strofen, och citatet lyder i sin helhet:

Le monde n'a pas gardé leur souvenir,
La miséricorde et la justice les dédaignent.
Ne parle pas d'eux, mais regarde et passe.

Ett så egendomligt motto.

Tredje sången i Inferno handlar om de obeslutsamma och ljumma, de grå skaror som svikit i tvekan, eller rädsla. "Ej minns dem världen, dessa skuggor grå/ Rättfärdigheten, medkänslan, dem föraktar./ Nej tala ej med dem. Men se på dem. Och sedan – gå."

Är det en bit av Charcots självbild? Eller av hans högmod inför dem som inte vågat bryta nya vägar?

Betrakta de misslyckade som ej vågat. Och sedan lämna dem. Det lät han hugga in i portalen till sitt hus. Det var innan han träffade Blanche.

3.

De experiment Charcot – och senare Blanche – försöker genomföra kan närmast liknas vid en religiös rit. Vad var innebörden?

En trolldom, avsedd att förklara ett sammanhang?

Alltså dessa desperata texter om kärlekens "innersta väsen". Beskrivningar av de första experimenten på sjukhuset, *introitus ad altar Dei*, men vad har detta med kärlek att göra, eller ens lust. Kanske makt?

Nej, inte ens makt.

Man vet inte varför han öppnar experimenten för publik.

Inget fel att ta steget från vetenskap in i mystik. Han trodde väl att lösningen fanns där, men att han behövde stöd. Under de första föreläsningarna – de översattes senare alla av Sigmund till tyska, tyvärr med några kritiska noter som Charcot aldrig förlät sin lärjunge – uppehåller han sig mycket vid Paracelsus, och särskilt Mesmer: det var som om han trevande försökte skriva in sig i en ockult tradition, men med skenbar, lite klädsam, skepsis.

Han skriver "förundrad" om Mesmers Parisvistelse: hur denne 1778 med sina flaskor av magnetiskt vatten uppnådde stor popularitet, hur han med sin käpp rörde sina sjuka patienter till hälsa, och hur han, för att inte bli impopulär bland de fattiga, lät magnetisera ett träd i fattigkvarteren där de kunde bota sig själva.

I övrigt inga kritiska kommentarer.

De första experimenten med kvinnor kallar Charcot för experiment med hypnotism. Ordet var ofarligt. Han använder det därför. Han väljer två yngre kvinnor som objekt, Augustine (efternamn saknas och hon försvinner i och med detta experiment ut ur historien) och Blanche Wittman.

Adjutanter är Gilles de la Tourette, Joseph Babinski och Désiré-Magloire Bourneville, två av dem senare monument i medicinhistorien. Han betecknar objektens, alltså klienternas, utgångsläge som labilt. Augustine hade befunnit sig i ett tranceliknande tillstånd sedan dagen innan, och Blanche var aggressiv, hade vrenskats, utbrustit i korta skratt och betraktat Charcot med närmast fientliga ögon. Experimentet inleddes dock med Blanche, som fick betrakta en pendyl, och redan efter fem till åtta minuter tycktes hon sömnig, slöt ögonen och somnade.

Hon förblev sittande.

Augustine hade placerats på en säng: när Charcot höll upp hennes ögonlock några sekunder reagerade hon genast och sträckte ut sina ben; en rörelse som fick hennes nattskjorta att glida åt sidan och avslöja hennes nakna underliv med blottat kön. Charcot gav då Bourneville order att övertäcka hennes kropp.

Blanche var nu sovande. Charcot blåste lätt på hennes ansikte och tillsade henne att hon, när hon vaknade, skulle känna välbefinnande. Hon förblev dock i ett kataleptiskt tillstånd. Charcot pressade då med handen på punkter vid hennes äggstockar: detta är alltså innan C. uppfann ovariepressen, den av metall och läder, som användes som hysteristopp. Hon vaknade, och såg på Charcot med ett egendomligt leende.

– Hur befinner du dig nu, hade Charcot frågat.

Hon svarade:

– Jag skulle acceptera att äta ett stycke brioche.

Det var en brödsort. De fyra läkarna hade betraktat henne med bestörtning.

– Brioche, upprepade hon, och fixerade oavvänt Charcot som då vände bort sin blick, som i skam eller rädsla. Med låg röst tillsade han sin assistent Babinski, som sedermera skulle bli världsberömd som den som definierat vissa nervreflexer vid till exempel diagnos av syfilis, *Babinskis reflex,* han beordrade denne Babinski att hämta brödet.

– Vad tjänar detta till, hade Babinski frågat.

Charcot hade inte svarat. Man hämtade brödet. Babinski upprepade sin fråga, nu med högre röst, som i vredesmod.

Det var det första experimentet.

Charcots assistenter hade varit förbryllade och upprörda över den underliga undergivenhet han plötsligt hade visat inför Blanche. Hon hade lugnt ätit upp brödet, och spänt betraktat Charcot, som om de övriga ej existerat.

Experimentet protokollerades just så. Men varningsklockorna borde ha ringt!

4.

Döden tänkte han sig, till sist, som ett tomrum där Blanche inte fanns. Och det skulle vara hans eget fel.

Den sista natten, i augusti 1893, hade han varit rädd. Tror man plötsligt att det man gjort bygger på lösan sand, då blir mörkret förfärande. Om, i detta mörker, Blanche inte fanns, eftersom hon aldrig funnits, eftersom han aldrig vågat ta steget, då var det illa.

Han liknar inte sin staty. Inte ens som nedsmält. Bättre vore att föreställa sig honom som ett skräckslaget barn som med stenansikte, och med all makt i sin hand, men utan att förstå att använda den, står mitt i ett hav av kokande lidelser och säger sig registrera och styra lidelserna via tryckpunkter på den mänskliga kroppen!

Det var ju så 1900-talet började. Hur kunde det annars fortsätta och sluta som det gjorde.

Blanche var rädd att överge honom.

Han skulle då vara förlorad i sin ensamhet med markattan Zibidie.

Då och då små diskreta antydningar om Blanches stigande berömmelse.

Hon är ju ödmjuk. Vill inte verka stor på sig. Men antydningar om en växande offentlig kritik mot honom. Till slut hans egen bekännelse i Morvan. *Mina experiment nu inne i en återvändsgränd.*

Den 17 september 1883 tog Charcot emot en grupp unga ryska medicinstuderande som bestod av Semione Minor, Olga Tolstoj, Piotr Ivanov och Felicia Cheftel. De var fransktalande och – vad man med en modern term skulle kalla – feminister. De var mycket vänliga. De anklagade Charcot, och ledningen för sjukhuset, för att behandla de ”fängslade kvinnorna” grymt, och frågade direkt om sanningshalten i de rapporter som nåtts dem i Sankt Petersburg och som sagt att man vid Salpêtrière använde *”ålderdomliga tsaristiska metoder vid* *kvinnors hysteriska kriser, till exempel metoden att vid anfall av hysteri gnugga livmoderhalspartiet så att stelnad eller hopklumpad sädesvätska upplöstes och kunde rinna igenom, och att detta alltså kunde lugna patienten*".

Charcot hade dock försäkrat dem att sådana metoder endast användes i särskilda fall. Samtalet med de ryska – fast fransktalande – studenterna hade i övrigt ägnats åt de försök som gjorts att bota rabiessmittade ryska bönder vid Pasteurinstitutet, samt åt *förekomsten av hysterikor och nymfomaner i den moderna romanlitteraturen*. De ryska studenterna hade förvånats, och chockerats, av Charcots vänlighet och charm, och hade också bett att ett kort ögonblick få samtala med Charcots berömda medium Blanche Wittman, något som Charcot med tvekan accepterat, men som mediet vägrat tillmötesgå.

Charcot hade då fogat sig. Inget samtal med Blanche.

Man noterar den kontinuerliga strömmen av just ryska medicinstuderande som besöker Charcot. Det är först 1886 som dessa ersätts av en helt ny och modernistisk typ av ung människa, när den trettioårige Sigmund Freud ansluter sig till Charcot som sekreterare, och sedermera som uttolkare och vidarebefordrare av Charcots rön och idéer.

Första mötet mellan Freud och Charcot avlöpte mycket väl.

Vissa detaljer i Sigmund Freuds beskrivning av mästaren visar dock hur förbryllad Sigmund är. Charcot hälsade sina assistenter med tre utsträckta fingrar, och sina underläkare med två. Sigmund noterar avsaknaden av stelbenta hierarkier, något som särskilde Salpêtrière från sjukhusen i Berlin och Wien. Han noterar dessutom Charcots "demokratiska principer".

Sigmund F. tyckte aldrig egentligen om fredagsföreställningarna, som han fann djupt fascinerande. Han misstrodde kvinnorna. Han fann det avskyvärt att de tvingades tiga, och anmodades att enbart uttrycka sig genom sina anfall. I övrigt endast beundran. Han blir genast nyfiken på Blanche, försöker inleda samtal med henne, kanske med sexuella avsikter, men misslyckas.

Hon avskydde honom, säger hon i Frågeboken. Hon menar att det var hennes egna och i viss mån Charcots rön om den mänskliga naturen, människans inre kontinent, samt kärlekens natur, som varit banbrytande, och att Sigmund endast varit en okunnig men receptiv lärjunge. Man noterar högmodet, även om hon kan ha rätt. Men hon hatade Sigmund, liksom senare Babinski.

Babinski hatade hon särskilt intensivt, hans feghet, skräck inför det okända. Hans knivhugg i ryggen på dem som vågade. Han hade försökt röra vid hennes bröst, då hade hon tagit hans hand i sin, och bitit.

Han hade överraskad skrikit till, och hon hade sagt med sitt vanliga mjuka godmodiga leende:

– Rabies, smittad av de ryska bönderna.

Han hade aldrig försökt igen.

Förrädarna, som hon kallar dem. Frågeboken är, på

detta sätt, en hämndeakt, och ett postumt försvarstal för Charcot, hans liv och gärning innan *han gick in i den återvändsgränd som var kärlekens, och blev dödad av mig.*

5.

Så står det på en av slutsidorna i Den gula boken.

Man får föreställa sig att hon redan då var på väg in i Marie Curies liv, som en ångestfylld mor inför sitt barn som är hotat. Ett barn på väg att upprepa hennes egna misstag, vilket är det värsta: som om hon *fött in katastroferna* i barnets liv.

Blivit ansvarig, och känt skuld, och därför nu med skräck och oro var på väg ut ur sin egen berättelse, och in i Maries.

Barnet! Barnet!

I mars 1910, året innan Marie Curie tilldelades sitt andra nobelpris, det i kemi, hade Marie kommit in till henne, satt sig på hennes sängkant och frågat vad hon skulle göra.

– Vad heter han? hade Blanche frågat.

– Paul. Jag är stark och han är svag men jag älskar honom, han måste räddas från sig själv.

Blanche hade då länge tyst betraktat Marie.

Sedan:

– Räddas från sig själv? Som Charcot? Då är jag rädd.

Det hade kommit med en egendomligt hes och guttural stämma, som ett nödrop.

Eller, från Frågeboken, efter rubrikfrågan **När upphörde Maries sinnessjukdom orsakad av sorgen?** den torrare anteckningen: *Den ångest som Marie uppfylldes av var dock ej lika stor som den glädje hon kände inför denna kärlek, och jag uppmuntrade henne enständigt att visa sin kärlek öppet, och inför alla, inte endast inför mig. Hon iklädde sig därför, på min enträgna uppmaning, kläder som avvek från hennes sorgedräkt, och mycket snart började hennes vänner ana att något inträffat.*

Och så bar det hän.

"Som Charcot." Och då blev hon rädd. Hon visste kanske vad som skulle ske, och hon älskade Marie.

Men hon blev rädd.

De sista bladen i Den gula boken tomma. Sedan Den svarta boken, mer upprörande, med vissa sidor utrivna, som i panik, eller skräck.

DEN SVARTA BOKEN

V

Sången om svartsjukan

1.
Ständigt detta: *Marie! Marie! Var det verkligen nödvändigt?*

Vilket egendomligt ord: nödvändigt. Som om bara det nödvändiga.

Alls icke.

I Frågeboken flera fragment av korta, skenbart betydelselösa, möten mellan Paul och Marie, tydligen slarvigt eller i hast nedtecknade av Blanche.

Paul hade visat Marie nekrologen över Pierre efter dennes död, och frågat vad hon tyckte.

– Mycket vacker, hade hon sagt. Rättvisande. Mycket vacker.

– Jag har bemödat mig.

Hon hade då ryckt till, som inför en förolämpning eller inför ett återhållet men dolt förbehåll, och frågat:

– Bemödat?

– För din skull, hade han sagt, och hastigt tillfogat: för hans.

– Tack.

Alla dessa korta samtal mellan Marie och Paul, och däremellan denna skräckslagna tystnad!

2.

Varför är just Den svarta boken söndersliten?

I denna bok mycket om upptakten till Maries katastrof. Men om Charcot nästan ingenting annat än en absurt självmedveten sats: *Marie,* skriver Blanche, *skulle kanske aldrig ha överlevt om inte jag, med mina erfarenheter från Salpêtrière och doktor Charcots undervisning, om inte jag i vänskap skänkt henne livsmod, och sålunda räddat henne från den inre förfrysning, och den vetenskapliga stränghet, som var nära att döda henne och hennes förstånd.*

Vetenskapliga stränghet!?

Blanche vill väl försvara sig. Och ge någon mening åt sitt förfärliga liv. Inte så konstigt.

Alla vill vi väl få det att hänga ihop.

Man måste föreställa sig hur livet var för en kvinnlig vetenskapsman i detta tidiga skede av det *fantastiska och vetenskapligt epokgörande* tjugonde århundradet.

Vilken självmedvetenhet, förresten. När försvann det tjugonde århundradets självmedvetenhet, utvecklingsoptimismen, arrogansen? När katastrofen kulminerade för Marie Curie inträffade, lyckligtvis! det första världskriget, och hon gick ut som frivillig röntgenläkare för att på detta sätt genomlysa det tjugonde århundradets sönderslitna kroppar. Var det där någonstans, ungefär 1914, som det tjugonde århundradets arrogans upphörde?

Poetiskt gestaltat av Marie Curie i sin röntgenbuss.

Men innan dess, att leva som kvinnlig stjärna inom vetenskapen! Detta hat! På en klart upplyst scen! Och med de fientliga vilddjuren omkring sig!

Och hur vansinnet exploderade då denna kvinnliga stjärna på den vetenskapliga himlen, hon som fått ett nobelpris och snart skulle få ytterligare ett, förälskade sig i en gift man med fyra barn, och inte var villig att uppge denna kärlek! Dödssynden!

Marie, Marie. Snart bär det hän.

Blanche antecknar i Den svarta boken en dröm som Marie haft.

Marie går i snö, över en slätt, senare en isslätt, kanske en arktisk isslätt, kommer fram till en isgrav, någon är begravd där, smältvattnet har runnit ut över ett ansikte och sedan frusit, en tunn ishinna täcker den döde mannens ansiktsdrag, Marie slår i drömmen samman händerna i förvåning eller glädje, utropar:

– Men Blanche! Det är ju jag!

Otaliga vittnesmål om hatet mot framgångsrika kvinnor, särskilt hatet mot *den kvinnliga vetenskapsmannen*. Också de som tyckte om och älskade Marie antog att kylan var förutsättningen för hennes geni.

Om ej kyla, inget geni.

I juni 1913, då allt nästan är över och Marie överlevt, men förfrusen, innan det befriande första världskriget bryter ut och räddar henne in i ambulansen, fotvandrar hon med Albert Einstein i Schweiz, nära Engadin. Han skriver till en kusin: *”Madame Curie är mycket intelligent, men hon är kall som en fisk, vilket betyder att hon är dålig på att visa glädje och sorg, oftast uttrycker hon sina känslor genom att grymta.”*

Vem var det hon hade sett i isgraven?

Marie hade sagt att älskaren Paul drogs till henne ”som till ett ljus” – tänkte hon sig honom som en mal, eller en fågel, eller en människa i en mörk skog? Vad var det för ljus som strålade ut från henne?

Detta blå sken?

Kall som en fisk. Ljus i en skog. En man i en isgrav, övertäckt av ishinna.

Marie hade många ansikten.

Oväntade och egentligen helt igenom onödiga besök av Paul på Maries laboratorium.

Kommer med tekanna i korg. *Men Paul! Så roligt!*

Står nära henne när han serverar. Han har så vackra händer, ser hon plötsligt. På natten vaknar hon ur en upprörd dröm, svettig över hela kroppen, lakanen fuktiga. Hon kan inte somna om. I drömmen hade händerna rört vid henne. *Jag är fyrtioett år gammal, jag är ännu ung,* försöker hon tänka. Det är stumt. Det sätter sig inte. Är det för sent?

Viskar försiktigt ut i mörkret:

– Blanche?

Inget svar. I rummet intill barnen sovande, *och dessa betyda allt.*

– Blanche? Sover du?

Marie hade ju allt. Ära, berömmelse, barn, inflytelserika vänner. Varför då kärlek?

Men detta långsamt pulserande minne! Klådan! Mattheten i underlivet! Och inte riktad mot någon, bara denna *anonyma hetta!* Det är Blanches ord, de om den anonyma hettan. Men hon måste ha hört dem. Den lustens brist på riktning! som kompassen vid Nordpolen! Den snurrar runt runt, om bara en riktning hade funnits!

Och så plötsligt.

3.

Första gången Marie rörde vid honom var vid 22-tiden på kvällen den 4 mars 1910.

Platsen var en punkt tätt intill arbetsbordet i förrådsrummet på rue Lhomond, där den första upptäckten av polonium och radium skett över tio år tidigare, och där en gång experiment med piezoelektrisk kvartskristallvåg skett, medan Pierre levde. Platsen där allt förändrades var en punkt belägen kanske en meter till vänster om bordet, men platsen förflyttades sedan till bordet, och så att glaskolvar krossades. Just där var platsen, brukade hon tänka, *jag noterade platsen med en till in-*

tet förpliktande exakthet som om jag också där varit vetenskapsman och icke en älskande kvinna.

Fast senare såg hon detta bord med andra ögon.

Noterar: Maries ord om punkten. Hon vet: det finns alltid en punkt varifrån berättelsens landskap kan betraktas. Återfinns inte denna punkt upphör historien.

Därför Blanches tre böcker: kompassen snurrar, funnes det bara en fast punkt för kärlekens hävstång!

Så att världens jämvikt kunde vältas.

I efterhand ser man alltid med andra ögon. Bord förändras och blir till heliga platser. Ytterligare några år senare är de så smärtfyllda platser att de ej kan besökas.

Hon hade ju ingen avsikt, *det var av en tillfällighet Paul och jag kom att mötas denna ödesdigra* – hon skulle inte ha använt ordet "tillfällighet", denna utmanande klänning var ingen tillfällighet, varför annars upprördheten, hjärtslagen – *denna ödesdigra dag då jag för första gången drevs att övervinna min kvinnliga skygghet och han* – ja, vad övervann han?

Hon hade stått i rummet och han hade stått intill bordet klockan tio på kvällen. Kanske delade de ett ögonblick sitt mörker med varandra, och övermannades, så att detta ljus uppstod. Och så skulle han bära henne, *som gruvarbetaren bär sin pannlampa.*

Så länge hon känt honom!

Det var något med ögonen! hans ögon! ibland var de alldeles döda och utslocknade och hon visste, nästan säkert, att det var hans olyckliga äktenskap som bar skulden, och alla dessa *hemska scener* som hon vetat om länge: då var hans ögon alldeles utslocknade och döda.

Och hon kände igen det.

Hon visste att hon själv ibland, ibland! haft denna döda blick, som om ansiktet vore övertäckt av is! Men så förändrades Pauls ögon, han blev som ett barn och rädd som ett barn, han såg då på henne med dessa helt annorlunda ögon, som vore han en fullständigt levande människa.

Plötsligt hade hon sett honom där han stod just där i rummet.

Punkten! varifrån historien betraktades och blev verklig! en meter från bordet där en gång! medan Pierre levde! hon funnit det hemlighetsfulla ämne som! och det blå radioaktiva ljuset! var då inte detta den rätta punkten för att övervinna skräcken!

Då hade hon sagt, det var klockan tio på kvällen, hon berättade detta senare, som vore Blanches svarta bok en vetenskaplig journal, i hennes laboratorium skedde det, intill bordet med glasretorter, då hade hon sagt:

– Paul, är jag verkligen en levande människa?

Hur länge hade hon känt honom, i femton år?

Alltid var han inkletad i familj, eller bland vänner, alltid hade han smålett mot henne och ingenting blivit sagt, vad var det som långsamt hade smugit sig in? Lockelsen av det helt förbjudna? eller skymten av en människa som kanske var alldeles unik och varm och längtade efter henne, nästan som hon hela tiden vetat att hon själv längtat, och så brast kontrollen, *Paul, är jag en levande människa?* så platt, vad betydde orden, att hon var död, som en fisk?

Hon hade stått kanske två meter ifrån honom och han hade stått på *punkten*. Och ändå måste han ha förstått.

Vad är det som gör att människor ibland plötsligt förstår, *hur ska de levande tala till de levande, vilka ord kan jag rikta till dig som jag älskar, annat än tystnadens och frågornas mångslintande knivar, medan det som skulle sägas ligger outtalat kvar på stranden, som en snäcka;* nej den dikten var inte skriven, det var inte så hon sagt, och tänkt, det hade bara kommit. Detta var ögonblicket, det skulle hon sedan veta, i hela sitt liv.

Han hade bara sett på henne, inte svarat.

– Paul, hade hon sagt, jag är så rädd, jag tror ibland att jag är död.

– Vad menar du?

Hon kunde ju inte förklara, hade bara gått närmare honom, alldeles intill honom.

– Jag vet inte vad jag menar, hade hon sagt.

Rummet den natten skulle hon ju alltid minnas. Bordet. Nästan inget ljus i rummet. Bara detta varma mörker som var levande och som fick henne att gå mot en gräns som var så lockande och tydlig att hon nästan kunnat röra den med sin hand.

Hon hade rört vid honom.

– Det är farligt, hade han sagt.

– Jag vet.

– Det är farligt, hade han upprepat.

– Det gör ingen skillnad, hade hon svarat. Det gör ingen skillnad.

Och hon hade då fortsatt röra vid honom. I denna skymning.

Ljuset hade icke varit likt det som radium utstrålar, nej ljuset hade utstrålat det varma mörker som hade gjort det möjligt att gå fram till *punkten där han befann sig och där det var möjligt att överblicka sitt liv.* Det var varmt och icke dödsbringande, fast fyllt av skräck och lust, och plötsligt fanns ingen återvändo.

Han kysste henne, hon pressades mot bordet, slog ut med armen.

Hon hörde ljudet från krossat glas.

Bordet hade hon rensat med en enda svepande handrörelse, hans ögon inte längre som ett barns och inte längre döda, nej nu var det som vore de ögonen hos en helt igenom levande människa, *Paul*, hade hon viskat och vetat att det var nu, *Paul, det är inte farligt*, och han hade slagit undan hennes kjol och lyft upp henne på bordet där en gång *någon*, nej det var hon! ensam! för första gången uppmätt radium, och där upptäckter som skulle förändra historien hade skett. Nu var hon mycket nära en annan upptäckt, var beslutsam och varm. Hans ögon hade uppgett det skräckslagna försvar som hon tyckt sig se, hon visste att han älskade henne mycket, kanske över en gräns som han dittills inte vågat gå, allting var mycket varmt och mörkt och hon visste med ens att hans mörker och hennes smälte ihop. Hon hade bara sagt *å långsamt! försiktigt!* och han hade långsamt trängt in i henne.

Glasskärvor kvar på bordet. Det gjorde inte ont.

Hon kom nästan genast, i mjuka rytmiska stötar, och var inte rädd för att komma, och då förstod hon att också han hade passerat skräckens sista gräns, och också han kom inne i henne som han åtrått i nästan femton år, natt och dag åtrått, denna Marie som varit det mest förbjudna, dödliga och mest åtrådda. Det var hon som höjt sin hand och rört vid hans kind, och sänkt sin hand och rört vid hans kön, som var så hårt som hans kön i hans drömmar varit sedan han första gången såg henne. Men inte fått, inte vågat, Marie, denna den mest förbjudna och därför dödligt hotfulla, som han älskat, men hela tiden vetat att *den som rörde vid Marie rörde vid död,* och därför ägde denna vansinniga lockelse.

Det var så det börjat.

Efteråt hade han lagt ner henne på golvet, och suttit vid hennes sida, och båda hade vetat att det var ofrånkomligt.

– Bär det hän nu? hade hon frågat.

Varför hade hon sagt så? Han hade inte svarat.

På morgonsidan vid ett-tiden hade Marie återvänt till sin våning, gått in i Blanches rum, väckt henne och berättat allt.

Hon hade blodfläckar på ryggen eftersom glasskärvor från bordet hade trängt in i hennes rygg. Hon tog av sig klänningen och slängde den i ett hörn. Skärsåren var obetydliga, Blanche baddade dem med sprit. Marie var mycket lugn.

– Vem är han egentligen, hade Blanche frågat, fast hon ju vetat vem han var, men inte på detta sätt.

– Det får framtiden utvisa, hade Marie svarat.

Blanche hade noterat hennes oerhörda lugn.

– Det får framtiden utvisa, hade hon sedan upprepat, men hennes ansikte hade varit så lugnt att ingen kunnat höra eller förstå att orden betydde något annat. Hon hade väntat nästan hela sitt liv på att utsäga dem: inget om skräck eller gränser, inget om det mest förbjudna eller denna dödliga lockelse, något mycket enklare och mer skräckinjagande: *Marie! Marie! Nu bär det av!*

4.

Vem var han då?

Man skulle kunna sammanfatta kanske inte sanningen, men *den allmänna meningen* i Paris om honom och hans och Maries situation, alltså den till exempel hösten 1910, och alldeles utan överdrifter och som en korrekt sammanfattning av vad som skrevs i det offentliga rummet säga att han hette Paul Langevin, var en hedervärd fransk forskare och fyrabarnsfar, vars äktenskap och lyckliga franska familj ödelades av en utländsk kvinna, med födelsenamnet Skłodowska, en kvinna av kanske judisk börd! judisk! vilket måste betraktas som ytterligare en attack mot det *franska* efter det nationella och tragiska nederlaget mot juden Dreyfus, och segern för beskyddarna av juden Dreyfus!

Ja, hon var säkert judinna! varför annars hennes andra förnamn Salomea?

En utländsk, kanske judisk, kvinna som i så fall dolde och förnekade denna judiska börd, och kanske i grunden var *en på moralens område lika skyldig person som Dreyfus inom militärens*!!! som en tidning senare skulle fastslå, och liksom denne med säkerhet skyldig.

Men i varje fall var polska.

Och helt klart var denna utländska Skłodowska, som gift sig till det franska namnet Curie, helt klart var hon inte endast kvinna, utan också en blasfemisk intellektuell med kontakter i emanciperade kretsar, till exempel sådana i England! de ökända suffragetterna! som hon umgåtts med; en kvinna som, när hennes skandalösa uppträdande avslöjades, försökte dölja sig för offentligheten, men ändå till sist nu tvingades fram, i pressen, i offentligheten, till den offentliga skam hon förtjänade, senare till exempel i samband med "den skandalösa utdelningen av också ett andra nobelpris till henne", ett pris som hon ej förtjänat, och som på sitt sätt avslutade hennes affär med denne i grunden oskyldige Paul Langevin.

Ungefär så.

Vem var han då?

1907 presterade Paul sitt största och mest unika bidrag till fysiken: det var hans tillämpning av elektronteorin på fenomenet magnetism; i grunden var det en förklaring till de magnetismexperiment Pierre Curie utfört 1895.

Han var en sammanförare av Thomsons och Curies försök, de fick en förklaring, han tillhörde den människotyp som kunde se ett samband men aldrig själv finna roten till det oförklarliga; därför var Marie alltid förtvivlad för hans skull. Han sammanförde separata kretsar men ringaktades för att han aldrig kunde skapa något unikt, få något unikt att hänga samman.

Paul, brukade Marie gråtande säga till sina vänner, *får aldrig den aktning han förtjänar, han är en sammanförare.*

Själv nöjde han sig utan tårar med sin lott.

Han blev i varje fall med tiden mycket erkänd.

Under första världskriget hade Paul Langevins arbete med *fenomenet piezoelektricitet*, för att åstadkomma ljudvågor med hög frekvens, gjort det möjligt att med sonar och ekolod lokalisera fientliga ubåtar, och därför på sitt sätt inneburit en betydelsefull krigsinsats. Han tilltrodde sig inte förmåga att älska, men hade drabbats av en sjukdom vid namn Marie Curie, som han visste aldrig skulle botas. Redan 1895 hade han dock varit forskardoktorand vid Cavendishlaboratoriet tillsammans med Ernest Rutherford; det är denne Rutherford som går tre steg bakom Marie och Paul en natt 1903 i en trädgård i Paris när ett rör, till hälften överdraget med zinksulfid och innehållande en radiumlösning, lyser starkt i mörkret och Marie plötsligt vänder sig om mot Paul och ser att hans ögon lever, *det var en storartad final på en oförglömlig dag.*

Men han hade ju sett Marie långt tidigare.

Pierre Curie var Paul Langevins lärare vid École de physique et chimie redan 1888, Paul var då sjutton år. Han möter Marie strax efter Pierres och Maries bröllop 1895. Han beundrar sin lärare Pierre. Han är ödmjuk, Pierre har uppnått allt, Pierres unika egendom är också den heliga graal som är Maries kropp. Hon är den heliga graalen.

Den som vidrör den heliga graalen måste dö, han vet det, detta är kärlekens hemlighet och innersta drivkraft.

Han är övertygad om att upplysningsfilosoferna har rätt i att sökandet efter lycka är människans unika privilegium, men eftersom Marie för honom är den enda möjliga lyckan, och han är förbjuden att söka, faller denna teori samman. Han börjar tänka på henne som "den mänskliga tragedins oundviklighet". Det gör det inte lättare. Han betraktar sin lärares hustru som en sinnebild för kärlekens omöjlighet. Paul blir sedan Maries kollega, det är senare, åren går. Tätt tätt intill honom finns hon. Det omöjliga förföljer honom.

Han krymper, tycker han.

Så plågsamt att hon är så nära. Det ouppnåeliga borde inte befinna sig så nära att det kan beröras. Marie rör sig tätt intill honom men på oändligt avstånd. Allt eftersom hans beundran för Pierre växer stiger också något annat, är det avståndet? är det bara längtan efter graalen? eller hat?

Han talar till Marie först med vördnad, sedan med kamratlig närhet, sedan nästan vrede. *Marie, Marie, vart bär det hän, så vacker, så omöjlig att beröra, så mjuk.*

”Paul är en egendomlig kärnfysiker, han tror på joner som på en religion!” säger hans lärare Pierre med överseende; måste man inte hata detta överseende, denna vänlighet? Paul är också republikan, kritisk till det franska utbildningssystemet, hatar hierarkier, han undertecknade 1898 Zolas petition till förmån för Dreyfus, det gör stormen i pressen i samband med Curieskandalen oklarare.

Paul kanske hade förtjänat sin utländska? *sin kanske judinna?* Det var kanske så det måste gå?

En gång hösten 1901 lägger hon sin hand på hans. Ytterligare en gång i mars 1903. Och ler!

Det är medan Pierre är i livet, ett *kamratligt leende.* Paul blir oerhört upphetsad, föreställer sig länge denna hand, hur den vidrör hans nakna kropp.

Hennes hand! Den är ju deformerad! men han bortser från strålningsskadorna på denna hand. Handen är i stället för hennes kropp: denna vita, fylliga, fullständigt oåtkomliga kropp. Att en enda gång i sitt liv få tömma sig i denna kropp! som tillhör, tillhör! hans beundrade lärare och förebild. Marie, Marie, vart bär det hän.

Vad är den kemiska formeln för åtrå?

Och varför existerar ingen kärlekens arkivmeter, varför förändras kärleken ständigt, helt olik arkivmetern, denna tiomiljondel av jordmeridiankvadranten, varför ingen atomvikt för åtrå, fastställd, prisbelönad, för alla, för all tid, för alltid?

Halv sida i Den svarta boken. Sönderriven. Fråga: **Varför som brännjärn i ett djur?**

Påbörjat svar: *Marie hade en gång skämtsamt, när Paul varit på besök, uppbjudit honom till dans i köket, och under några ögonblick pressat sig så tätt intill honom, trots att hon vid denna tid hade menstruation, att han*

Där är resten bortriven. Hade hon provocerat honom? Visste hon att han i sömnlösa nätter skulle återuppleva dessa sekunder, som i en sexualitetens evighet, som vore han för alltid märkt, *som brännjärn i ett djur.*

Varför anteckningen om menstruation?

När Pierre Curie dog var det Paul Langevin som skrev den bästa, och mest insiktsfulla, nekrologen. Marie tyckte mycket om den. Han var den som förstått.

Paul *hade bemödat sig.*

Han försökte tolka Marie. Han tyckte att hon hade många ansikten. Marie umgicks, *flärdfritt*, med Paul och hans hustru Jeanne Langevin, och deras fyra barn. Marie är bekymrad när Jeanne beklagar sig över makens bryska sätt. Hon upprörs! när hon får veta att

Jeanne krossat en flaska över mannens huvud. Hon noterar ”hemska uppträden” mellan makarna. Ingenting av detta antyder dock att en kärlek är på väg att destruera Maries liv, hon är bekymrad för honom, han spelar skenbart inte någon viktig roll.

Men ljudet av kärlekens tickande bomb? Ingenting sådant?

Kanske. I Blanches Frågebok dock endast spridda och kuriösa noteringar om Paul fram till våren 1910, bara osäkra notiser – (menstruationen!) – antyder att han ska spela en roll.

Han vilar trygg och smärtlös som en kärlekens cancersvulst i hennes liv.

Blanche inväntar också sin tid. Den ska komma.

Blanche berättar i Frågeboken om långa nattliga samtal mellan henne och Marie, men samtalen gäller endast Salpêtrière, kvinnorna där, läkarna. Marie tycks alltmer ha gripits av fascination inför det Blanche berättar. Hon vill veta mer, om experimenten, om övergreppen, om flykterna.

Vad tänker hon på?

Men vad Paul tänkte på vet ingen. Hans hustru Jeanne hörde honom andas i mörkret, han sov inte, det var i mörkret Marie blev synligast. Hon kom genom mörkret som en blå skimrande strålning, ja, det tyckte han om att tänka, *som genomstrålades mörkret av Marie*, han andades då häftigt, så häftigt att Jeanne Langevin viskande frågat, natt efter natt:

– Paul? vad tänker du på? Sover du?

Men icke hade han svarat.

5.

Marie hade sagt: vi måste vara praktiska. Han hade frågat vad hon menat, hon hade sagt *vi måste vara praktiska*, vi måste hyra en våning som är bara vår egen.

Den 15 juli 1910 hyrde de därför en lägenhet, en tvårummare, på rue Banquier nummer 5. Där kunde de träffas. Våningen var sparsamt möblerad, innehöll dock en sittgrupp med möbler klädda i ett ljusgrönt tyg – Marie upptäckte till sin förvåning att hon tyckte mycket om sittgruppen, och då särskilt den gröna färgen som påminde henne om en *sommaräng i Zakopane*.

Sovrummet mycket enkelt, en säng.

Paul hade inte gjort mycket, han var snarast förbluffad över den praktiska saklighet Marie utvecklade, men var i grunden lycklig. Hans första små biljetter till Marie är fyllda av en nästan bekymmersfri lycka. Graalen är hans och han har inte förstått vad det innebär. *Jag skriver i all hast för att säga att om du inte dyker upp på morgonen kommer jag tillbaka till vår lya på eftermiddagen efter två. Jag längtar otåligt efter att få träffa dig, mycket mer än jag grubblar över alla svårigheter som väntar. Det ska bli skönt att höra din röst igen och blicka in i dina underbara ögon. Jag försöker komma fram till någorlunda acceptabla livsvillkor för oss två, och jag håller med dig om vad som måste till för att det ska bli verklighet.*

Allting tycktes så enkelt.

Marie kunde gå genom gatorna till deras lägenhet *chez nous*, och det var ju inte långt, hon kunde gå raskt och känna att ingenting var ansträngande, hon kunde *gå tusen mil och bära Polens sorger på sina axlar och inte ens börja andas tyngre* – citatet är förbluffande eftersom det är enda gången hon i samtal med Blanche nämner *sitt fäderneslands sorger*. Hon kunde möta Paul i dörren och omfamna honom och långsamt, sakligt och småleende börja klä av honom och inte ett ögonblick vare sig notera eller ta hänsyn till hans blyghet.

Det polska förtrycket, alltså förtrycket av den polska kulturen och den polska friheten, hade hon en gång beskrivit som en urkraft liknande den undertryckta kärleken.

Han hade velat älska i mörker, men hon tände ljus. Ljuden från gatan störde ej, utom en gång när hon, medan de älskade, och med plötsligt i skräck uppspärrade ögon, trodde sig höra *det dånande ljudet från en nio meter lång flakvagn, vägande sex ton, och förd av en kusk vid namn Manin, svänga runt hörnet i så rask takt att Marie med ett rop av förvåning eller skräck tillfälligt avbröt deras kärleksstund*, dock utan att kunna förklara sig för älskaren. En gång hade hon legat naken på sängen när han kom, han hade stannat upp i dörren och nästan chockerad betraktat henne. Hon hade sagt kom in! du drömmer inte! det är jag! han hade gått fram till sängen och fallit på knä och börjat gråta, gråt inte, hade hon sagt, men gråt om du själv vill gråta.

– Tänk om det tar slut, hade han sagt.

Kanske var det också detta att lägenheten var så hemlig, förbjuden, som gjorde att hon kände sig så fri.

Hon kunde efteråt ligga alldeles stilla och se upp i taket och betrakta de fladdrande skuggorna från det brinnande stearinljuset och veta att *många gånger dolde sig de polska motståndsmännen i lägenheter som liknade denna, och förde där diskussioner om det polska språkets och kulturens fortlevande.* Det är klart att hon måste ha sett skillnaden, deras kärlekslya var något annat än ett motståndsnäste, men kanske inte? kanske inte för henne? Det var något varmt, hemlighetsfullt i denna förbjudna lägenhet som fick henne att känna det som befann hon sig simmande i ett varmt hav, blev vaggad i varmt vatten, nej som om hon vilade omgiven av fosterhinnor, som ett foster i en livmoder? kunde man tänka så? vilade inte detta foster i ett livgivande fostervatten? Samtidigt, intalade hon sig, var detta hon nu upplevde något större: livets innersta mening, bara uppenbarad för oskuldsfulla barn.

Som för mig, tänkte hon.

Hon försökte säga det till honom, men visste att han inte skulle förstå hur det var att leva i exil, att man då alltid drevs att uppsöka ett slags livmoder, i livets mitt, var man än befann sig!

Som om man alltid försökt hitta hem till denna livmoder, förstod han? var man än befann sig! alltid!

Hon hade tagit med sig sänglinne från sin lägenhet, och burit det i en korg, som en torgmadam bär sina ägg.

Varje dag bar hon denna renhetens äggkorg till deras kärleksbädd. Varför gör du detta, hade han frågat, någon kan se och undra. Någon kommer ändå en gång att se och undra, hade hon svarat, har du inte förstått det? Han föll ofta i sömn och hon såg i kärlek på hans ansikte, hur det kantiga upplöstes och blev förläget och barnsligt. Hit har vi flytt, hit in, in i den innersta exilen, *vi vilar i Europas livmoder*, hade hon en gång sagt till honom.

Han hade tyckt att det var lustigt, men en smula ansträngt, och då hade hon inte upprepat sig.

Eftersom allting de gjorde var förbjudet var hon inte rädd för någonting längre. Jag är inte erfaren, hade hon sagt en gång, allting hon gjorde när de älskade hade passerat det erfarna och var nytt. Vad är det för mening med erfarenhet, hade hon sagt. Det är erfaret, och död materia. Du är fysiker, hade hon sagt, universum finns i den atom som är denna säng, tro inte på någonting, varför är du rädd?

–Jag är inte rädd, upprepade han, kanske några gånger för mycket för att hon skulle tro honom.

Hon ville ju inte vara rädd. Och inte att han skulle vara rädd. På det sättet ville hon *ta med* honom. Därför hade hon berättat om resan till Nome.

Det blev ju så fel. Men hur kunde hon ana.

Först var hon rädd att han skulle tro henne vara erfaren. Sedan var hon inte rädd längre. Du får inte bekymra dig, hade hon sagt. Vi kan väl föreställa oss att vi mötts av en tillfällighet, och att du är på väg till en stad i Alaska och aldrig ska återvända. Vad finns det för städer i Alaska, hade han frågat. Nome, tror jag, hade hon sagt. Det är i alla fall inte Grönland, hade han svarat. Desto bättre, hade hon sagt. Du reser till Nome och stannar bara denna enda natt i Paris, och på resan till Nome dör du sedan. Och ingen kommer åt dig och vi har haft det så fint.

Varför måste jag dö? För att ingen av oss ska vara skräckslagen i Paris denna natt.

Och sedan tänker vi likadant, natt efter natt, i evigheters evigheter. Du går över en oändlig isslätt och dör innan du når Nome. Varför måste jag dö? För att du annars är rädd för det vi gör i Paris. Ingen vet något, ingen kommer att få veta. Vi har också glömt. Det är utstruket.

Tänk så. Det är utstruket, allting före och efter denna natt, och sedan i evigheters evigheter, du vågar allting och jag vågar allting. Tänk dig att du reser till Nome. Och aldrig aldrig ser du mig mer, och aldrig behöver jag skämmas inför någon, eftersom du är död på resan till Nome.

Han hade inte förstått.

Han hade blivit illa berörd, det är hela sanningen. Men när hon berättat om hans färd till Nome hade hon på något sätt känt sig friare, kanske helt fri. De hade älskat. Det var bättre än någonsin, och bättre än det någonsin skulle bli. Men han hade, förstod hon, egentligen inte tyckt om berättelsen om Nome.

– Du vill att jag ska dö, hade han sedan, nästan sakligt, sagt rakt ut i det mörka rummet där stearinljuset sedan länge hade slocknat och det blivit tidig natt och ljuden från gatan nästan upphört.

Hon hade häftigt protesterat och frågat hur han kunnat säga något så dumt, som om han tvivlat på hennes kärlek.

– Det hjälper inte att dö i Nome, hade han då svarat.

Tre veckor senare återkom han, som om han bara avbrutit en tankegång och nu fortsatt den:

– Kommer du ihåg resan till Nome? Det hjälper inte. Jeanne är misstänksam. Hon måste ha hört något.

– Är du rädd?

Men han behövde ju inte svara, för hon visste redan.

6.

När det är riktigt, då ska man inte tala, tänkte hon när det var som bäst.

Hon hade ju bara menat så här: att när det var som bäst låg han alldeles stilla och tyst inne i henne, och hon kände hur hans lem nästan omärkligt rörde sig inne i henne; och man fick inte tänka! man skulle bara vara innesluten i livets mitt. Så skulle det vara. Och stilla, som en hunds nos! som hunden hon haft som barn! så skulle de nosa på varandra, inne i henne, men utan tankar! det skulle vara som om deras slemhinnor nosade, försiktigt, på varandra, som vore hans lem nosen av en hund som blygt slickade hennes livmodertapp.

När det var bra var det så.

Hon ville inte förklara med ord, för han missförstod alltid hennes ord. När det var som bäst var det utan ord. Han var djupt inne i henne, stilla men samtidigt nyfiken; och hon tänkte på ingenting alls. Alla tankar var utraderade, det var det hon menat med isfärden till Nome. Ingen historia och inget straff och ingen skuld, framför allt ingen skuld! ingen skuld! Alla hennes tankar skulle vara samlade kring hundens nos, som var nyfiken och mycket kärleksfull. Varför var det så svårt att förklara för honom hur det borde vara, när han ändå förstod allting om strålning och fysik.

Men inte detta med Nome.

Hon vågade inte säga att alla hennes hinnor och muskler och all hennes värme och all hennes frihet och allting var samlat där djupt inne i henne; och hon rörde sig nästan inte alls när det var som bäst.

När det var som bäst var det nästan alldeles stilla.

Då låg de stilla. Det skulle aldrig ta slut, de var infattade i och omfamnade av varandra. Det skulle aldrig ta slut eftersom det var så kärleken skulle vara: som ett uppehåll på resan till Nome, och bara just då, och nyfiket och försiktigt som hundens nos, så skulle det vara, *för alltid och utanför verkligheten, men bara just då denna natt.*

Så tänkte hon sig kärleken. Det var det hon menat med detta om resan till Nome, att det inte fanns något efter, eller före, och i varje fall ingenting utanför deras lilla gemensamma rum. Och så hade han sagt detta om att *Jeanne har blivit misstänksam.*

Det var nästan som ett förräderi.

7.

Efteråt är det ofattbart att Maries korta lycka bara varade sex månader. Från mars 1910 till augusti 1910. Sedan blev allting så fult att ingenting gick att helt reparera, även om inte den definitiva explosionen kom förrän i november 1911.

Sedan skulle hon aldrig någonsin kunna närma sig en man, finna en älskare, börja om. Sex månader.

Plötsligt blev allting på en gång så mycket fulare.

Det var så fint så länge, i nästan sex månader, men när det blev fult blev det verkligen fult. Det droppade in ett antal vittnesmål som berättade, med växlande grad av upprördhet eller skadeglädje, om hur verkligen *Jeanne hade blivit misstänksam* och inte ville dölja det, och ville ta strid, och döda.

Sådan var ju kärleken, också, alltså hennes. I historien är Jeanne nästan osynlig. Jag antar att hon också har en historia, att också hon låg och stirrade i taket.

Lägger man alla historier över varandra blir allting till sist osynligt. Så man får välja.

Ett brev från Marie till Paul hade fiskats upp ur brevlådan av en tjänsteflicka och överlämnats till madame Langevin. Det var beviset.

Professor Jean Perrin, som var vän till Marie och Paul, och som visste, hade uppsökt Jeanne Langevin och försökt lugna henne, men denna hade enständigt försäkrat att hon skulle döda den polska horan, inkränglingen i deras äktenskap. I varje fall skulle hon meddela den franska pressen.

Perrin hade några dagar senare kommit hem sent en kväll, och utanför sitt hus till sin oerhörda häpnad mött nobelpristagerskan Marie Curie, som springande hade kommit emot honom på boulevarden. Marie hade suttit väntande flera timmar på muren utanför hans hus och nu berättat att hon *antastats mitt på gatan av madame Langevin och hennes syster madame Bourgeois och överösts av de råaste förolämpningar, och att den rasande kvinnan hade hotat henne och ropat åt henne att "resa hem från Frankrike"*.

Marie hade sett ut som "ett jagat djur". Hon hade inte vetat sig någon levandes råd.

Professor Perrin hade dagen efter gjort ett besök hos madame Langevin, för att medla. Denna hade då krävt att Marie skulle lämna landet inom åtta dagar, i annat fall skulle hon mördas.

Det var fult. Det skulle bli fulare. Det var ingen mening med att resa till Nome.

Vad gör jag, hade hon frågat Blanche.

Men Blanche hade inga råd att ge, Blanche hade levat i en annan värld som dels varit mycket fulare, dels inte ful på detta sätt.

Res, hade hon sagt. Bort från Paris. Det är farligt att stanna kvar. Vart ska jag då resa, hade Marie frågat.

Inte till Nome, hade Blanche då svarat.

8.

Det blev till L'Arcouest.

Det var den första flykt från kärleken hon skulle företa. Alla andra tidigare flykter hade varit angrepp. Men detta var en flykt.

L'Arcouest var ett litet fiskarsamhälle vid Bretagnekusten, det bestod av en handfull hus som låg inklämda mellan klippstupet och havet, stenarna var röda, man kunde gå längs stranden och se ut över havet. En kvinna som var förtvivlad och såg sin älskade tveka kunde bara gå utefter stranden i stormen, eller dagen efter sitta ensam på en pir medan dyningarna rullade in och regnet tätnade. Marie visste att hon måste fatta ett beslut, och själv inte fick tveka. Vem skulle hon tala med?

Blanche låg i sin trälåda hemma i Paris.

Tiden vid L'Arcouest mindes hon senare som en tid i en isgrav, så uttrycker hon sig, men hon är inte död och inte övertäckt av en ishinna, och hon vet vad det gäller men finner inte lösningen.

Det är nu, i augusti 1910, hon skriver det brev till Paul som skulle bli hennes livs katastrof.

Marie, Marie, varför skrev du?

Å, det är så lätt att fråga sig: varför skrev hon det! varför denna uppriktighet, varför detta praktiska handlag, varför denna vänliga råhet, varför denna cynism, varför denna oerhörda beslutsamhet att behålla sin älskade, varför skrev du brevet, Marie! som om hon inte visste att Paul var svag. Som om det var möjligt att göra honom modig och stark och den som kunde uthärda stormar, också de som kunde växa upp kring en nu världsberömd kvinnlig nobelpristagare, den första! omgiven av så mycket beundran och hat, alls inte en som med nedsmutsade kläder gråtande och förvirrad en natt springer över boulevarden mot en vän vid namn Perrin och säger att allt är förfärligt och att hon ska dö och att skandalen är oundviklig. Att denna världsberömda kvinna nu ska förlora allt anseende och att allting på en gång, på en sekund! ska vändas från aktning till förakt.

Att falla kanske inte är svårt, men att falla från denna höjd! så djupt! och barnen! och skammen!

Hon skriver då ett brev till Paul som säger att allting inte är förlorat.

Men detta outhärdligt praktiska tonfall! Detta nästan pedagogiska, undervisande tonfall! *Din hustru saknar förmåga att bevara sitt lugn och låta dig få ha din frihet; hon kommer alltid att försöka utöva kontroll över dig, av alla upptänkliga skäl: materiella fördelar, rastlöshet och varför inte vanlig lättja, glöm inte heller att ni är oense om allt som gäller barnens skolgång och hemmets skötsel, det är samma slags misshälligheter som har plågat dig sedan du gifte dig och som jag själv är fullständigt främmande för.*

Hon påminner honom om hans elände, sakligt! denna oerhört sakliga ton! den är outhärdlig, men är där inte också något annat?

Instinkten som ledde oss till varandra måste ha varit oerhört stark, eftersom den hjälpte oss att övervinna så många missförstånd om det annorlunda sätt som vi båda hade uppfattat skulle forma vårt privatliv. Vad kan inte uppstå ur denna känsla, så instinktiv och spontan och likväl så förenlig med våra intellektuella behov. Jag tror att vi skulle kunna hämta allt ur denna samhörighet: givande arbetsgemenskap, trygghet och ömhet, livsmod och till och med underbara kärleksbarn i ordets allra vackraste bemärkelse.

Så långt bara ett vanligt kärleksbrev. Men det fortsätter.

Det är ingen kall fisk som talar, ingen vetenskaplig analytiker, ingen brinnande revolutionär, ingen suffragett, ingen mjuk älskansvärd hustru, ingen garderad offentlig person och ingen beundrad nobelpristagare som är ett föredöme för kvinnor i hela världen: det är Marie, ett djur i en fientlig djungel, och en människa som slåss för sitt liv, utan hänsyn. *Det råder inget tvivel om att din fru inte går med på separation utan vidare, eftersom hon inte har något att vinna på det; hon har hela tiden levt för att utnyttja dig och kommer att se enbart nackdelar med en sådan lösning. Vad värre är, det ligger i hennes natur att hålla sig kvar om hon anar att du helst vill att hon ska gå ifrån dig.*

Hur svårt det än är för dig är det därför nödvändigt att du fattar beslutet att göra allt som står i din makt för att göra livet olidligt för henne, metodiskt och målmedvetet.

Ifall hon säger att hon skulle kunna gå med på separation om hon får barnen, måste du acceptera förslaget utan att tveka så att du sätter stopp för den utpressning hon annars kommer att försöka med. Tills vidare räcker det med att Jean fortsätter att vara inackorderad på skolan och att du bor på EPCI i Paris, du kan åka ut till Fontenay och träffa de andra barnen eller se till att de kommer över till Perrins; förändringen skulle inte bli så omvälvande som du tror och det skulle med säkerhet bli bättre för alla parter. Vi kan fortsätta med samma försiktighetsåtgärder som nu när vi träffas, tills allt har lugnat sig, och så fortsätter det och fortsätter och fortsätter.

Hon vill rädda honom och hon vill äga honom och hon har gripits av kärlekens dödliga sjukdom som inte är vacker, inte alltid. *Du måste göra allt som står i din makt för att göra livet olidligt för henne, metodiskt och målmedvetet.*

Det är inte vackert. Men för första gången i sitt liv är

hon drabbad av en kärlek som sopar undan allt: och hela tiden den fasansfulla tanken att den andra, den hatade, ska lura honom att återvända till den äkta sängen, till erotiken, och kanske se till att bli med barn.

Och så för alltid utestänga Marie.

Bland det första du måste göra är att återtaga ditt rum. Jag oroar mig för att jag inte kan förbereda dig på vad som kan ske. Jag är rädd för gråtattackerna som du har så svårt att stålsätta dig emot, fällor för att få dig att göra henne med barn, du måste misstro allt sådant, jag ber dig, låt mig inte vänta länge till på att era sängläger skils åt. Först då kan jag med mindre ängslan följa stegen mot er separation. Kom aldrig någonsin ner från sovrummet en trappa upp, arbeta till sent, och om du behöver en förevändning, säg att du måste vila eftersom du arbetar till sent på kvällen och måste stiga upp tidigt, att du blir störd av hennes krav på delad säng och att det är omöjligt för dig att vila ut ordentligt.

Ja det är olidligt. Marie, Marie, det är olidligt!

Hon plågas av tankar och det är ett svärd som går genom hennes kropp, föreställningar och bilder dansar genom hennes huvud, det gör ont! ont! ont! *och om du till äventyrs har givit efter av pur utmattning under semestern vägrar du nu att låta det fortgå, och om hon propsar på det kommer du att stanna kvar i Paris över natten med Jean,* nej, det är kanske inte vackert men förtvivlan är sällan vacker.

Och det vet hon. Och så slutar hon, i stilla förtvivlan. *Men så länge jag vet att du är hos henne får jag utstå ohyggliga nätter, jag kan inte sova, med stor svårighet förmår jag slumra in ett par tre timmar; jag vaknar upp som i feber och jag kan inte arbeta. Gör vad du kan för att få slut på detta.*

Marie skrev ett mycket långt brev som är ett fult och gripande porträtt av kärleken när den är som den är, ibland. Fast egentligen ganska fint. Men i varje fall inte lämpat för publicering i en fransk tidning nästa höst, i L'Œuvre den 23 november 1911, det brev som fick dånet mot Marie att kulminera, stormen mot *"den utländska kvinna som ödelagt en fransk familj, en ny Dreyfusaffär, om än i ny skepnad. Den splittrar dock inte längre Frankrike, den visar att Frankrike är i händerna på en hop smutsiga utlänningar, som plundrar, fördärvar och vanhedrar vårt land. Nu mobiliserar Israel alla sina leviter, lejda mördare och råskinn."*

Marie, Marie, vart bär det hän.

Tänker ofta på Pasqual Pinon och hans Maria.

Han hade, på freakcirkusen, träffat en kvinna vid namn Ann, och de hade förälskat sig. Maria, det kvinnohuvud som han bar likt gruvarbetaren bär sin pannlampa, hade då i förtvivlan och raseri börjat *sjunga ont.*

Intet ljud kom över hennes läppar, hon hade ju inga stämband. Men hon sjöng ont, en skärande vass ond sång som var stum för alla utom för Pasqual, och sången gick in i honom. Till slut blev han tokig, försökte ta livet av sig. Man återfann honom i en canyon söder om Santa Barbara, liggande, svårt skadad, i en uttorkad bäck. Han var medvetslös. Marias ögon var vidöppna, som i skräck eller lättnad. Hon sjöng inte längre ont. Fyra man bar Pasqual och hans Maria tillbaka.

Jag tänker ofta på detta att ”sjunga ont”. Hur det kanske var. Ett slags ful, skärande gäll och genomträngande förtvivlan, det var väl så den hjälplösa Maria kände det där hon satt som en stum gruvlampa på Pasquals huvud, och ingenting ingenting annat kunde göra än att sjunga ont.

Så, ungefär, är väl svartsjukans onda sång.

9.

Paul fick brevet, läste brevet, och sände ett korrekt, vänligt, en smula opersonligt svar. Han har läst hennes brev både en och två gånger, skriver han, men har inte tid att svara i detalj. I den mån han fortfarande är i stånd att bedöma läget tror han också att ”en separation vore det bästa”, men då helst utan våldsamheter.

Han var väl lite rädd.

Några månader tidigare föreslogs Marie till en stol i Vetenskapsakademin.

Det var ett oerhört förslag, djupt chockerande, men det fanns ju endast tre nobelpristagare i livet i Frankrike, Marie var en av dem, hon accepterade att kandidera. Hon förlorade omröstningen, och tidvattnet hade vänt, hatfloden steg, och ”genom att för tidningarna bedyra att hon var kandidat har hon avslöjat en brist på måttfullhet som inte är passande för hennes kön. Allmänheten har blivit fientligt stämd mot kandidaten."

Det växte ett egendomligt återhållet raseri mot Marie Curie.

Ändå visste man inte allt om hennes hemligheter. Inte det förfärliga uppriktiga brevet från Marie till Paul, det som var en ond sång om kärlek.

Fast snart. Redan nästa höst.

Då, ett år senare, vid vändpunkten, skriver Blanche i sin Frågebok under rubriken **När fick jag reda på Maries dilemma?**, hade Marie vid 17-tiden på kvällen kommit instörtande i hennes rum, kastat sig ner på knä intill hennes mobila trälåda, hennes ansikte hade varit likblekt och håret i oordning, hon hade inte snyftat men uttryckt den största förtvivlan och uppgivenhet, och berättat.

Det hade skett ett inbrott i Maries och Pauls gemensamma lya. Någon hade brutit upp dörren, genomsökt lägenheten och stulit de brev som Marie skrivit till Paul.

Bland dem fanns också det långa brevet hon skrev från L'Arcouest i augusti 1910. Nu visste Jeanne att hon hade ett vapen, ett brev som var ett karaktärsmord inför den rigida franska offentligheten, eller ett självmord av Marie. Redan följande dag meddelade madame Langevin via sin advokat att hon "besatt avgörande bevis" på Maries skändlighet, bevis som hon ej skulle tveka att använda i en rättegång, och låta publicera, om inte Marie omedelbart lämnade landet, utan fortsatte att utsätta hennes familj för sin skändliga närvaro.

Ungefär så. Marie hade varit alltför upprörd för att nedteckna hoten. Vad hon visste var att Jeanne nu i sin ägo hade en bomb, alltså ett brev som för alltid kunde krossa Maries anseende, och att hon inte skulle tveka att använda det.

Hon sjöng verkligen ont. Och Marie hade den natten suttit tyst och stilla intill Blanche, vaggat fram och tillbaka, som ett övergivet barn, och hela tiden viskat att hon nu förlorat honom.

Vad kunde man säga till hennes tröst?

Fram emot morgonsidan hade Marie lagt sig ner på golvet, och somnat. Hon hade liknat ett jagat djur, nu var hon upphunnen. Hon hade frågat Blanche vad hon skulle ha gjort i Maries ställe, men Blanche hade ej svarat.

Men hon tänkte att Marie plötsligt blivit som ett barn som gjort sig mycket illa, och inte längre kunde gråta, bara velat ligga i sin mors knä och till slut viskat: berätta. Vad ska jag berätta? Berätta om kärleken så jag förstår. Berätta hur den var, och hur den borde vara. Det kan man inte förstå, hade Blanche viskat tillbaka, i hennes öra, kärleken är icke till att förstå.

Ur kärleken kan komma ljus, eller mörker. De älskande kan dela sitt ljus, eller sitt mörker; ur detta då liv eller död. Det är icke till att förstå.

Berätta om Salpêtrière, hade Marie då sagt denna natt, berätta så att jag överlever också denna natt, och kanske alla andra nätter, i evigheters evigheter, på vägen till Nome kanske, ja på vägen till Nome.

Amor Omnia Vincit, hade Blanche då kunnat börja, men hon gjorde det icke.

VI

Sången om fjärilen

1.

Det finns faktiskt ett fotografi av Blanche.

I tredje bandet av den gigantiska bildinventeringen av Charcots patienter, eller kanske skulle man säga kvinnliga teaterensemble, *Iconographie photographique de la Salpêtrière,* återfinns ett fotografi av Blanche Wittman.

Det stämmer, hon är vacker.

Hon har vitt krås runt halsen, som min mormor Johanna hade på det fotografi jag använde till ”Musikanternas uttåg”, det med runda glasögon och tillbakastruket hår, det som långsamt ersatte likkortet, minnet av henne som död. En vacker och stark kvinna. Blanche ser dock inte så sträng och självmedveten ut som Johanna Lindgren. Blanche tittar snett ned till vänster, också hon har håret tillbakastruket, men några slingor ringlar löst, frisläppta ormar, som Medusas huvud, och hennes mycket vackra ögon är sorgsna.

Midjan smal och kroppen mjukt sensuell, antecknar jag på ett papper som jag långt senare återfinner. Det kan gälla Blanche eller Marie Curie, men inte Johanna.

Varför har jag uppfattat det som viktigt?

Händerna, vid fotograferingstillfället 1880 ännu inte amputerade, är knäppta.

Marie återfinns på desto fler bilder.

Så vacker och förbjuden!

På den berömda målning som föreställer seansen med Blanche och Charcot, och som ännu finns i biblioteket i Salpêtrière, ser man hennes ansikte snett från sidan.

Man fångas av åskådarnas svartsjukt nyfikna, nästan giriga ansikten. De delar en upplevelse med oss. Alla ser: åtbörden av fallande kropp och kvinnlig uppgivenhet hos Blanche.

Ensamhet och svartsjuka.

Eftergivenhet, uppknäppt blus. Charcot vänd mot åskådarna som i en befallande eller straffande åtbörd. Och så Babinski, den av Blanche så hatade, bakom henne. Han öppnar sina armar, som en Frälsare.

På fotografiet från *Iconographie* däremot är Blanche ensam, skönheten oberörd av blickar, den vackra klänningen ej uppriven och dekolleterad. Inga svartsjuka betraktare. Detta är en lockande kvinna från det nittonde århundradet, en med stark integritet.

Örhängen, långa. Dyrbar klänning? Ja, kanske. Ingen flicka från slummen, men en sorgsen vacker kvinna som står inför sitt liv. Är det som en målning? Spetsknypplerskan, av Vermeer? Nej, men jag känner igen henne.

En som står inför sitt liv.

Betraktar man de två bilderna av Blanche från denna tid, helgonet och den vanmäktiga unga stjärnan i Charcots ensemble framför de svartsjuka åskådarna, betraktar man henne med rationella ögon är hon obegriplig.

Men gör inte det!

Axel Munthe har, i "Boken om San Michele", berättat hur han en gång bevittnade en seans på Salpêtrière. En föreställning i en stor lokal – han har kanske överdrivit, det vanliga var ett rum som kunde ta ett trettiotal åskådare.

Han vill kanske förstora sin upplevelse av det han kallar hypnotism, förstadiet till Charcots hysteriexperiment med Blanche. Han har sett Blanche. Han nämner henne aldrig vid namn. Det är bra.

Det är fint! han besudlar henne inte med sin närvaro!

Doktor Munthe är full av förakt.

"Den stora aulan var fylld till sista plats av en mångskiftande publik ditlockad från hela Paris, författare, journalister, berömda aktörer och aktriser, fashionabla demimonder, alla sjukligt nyfikna på att bevittna hypnotismens märkliga fenomen. Somliga av försöksobjekten var utan tvivel influerade av äkta suggestioner som ingivits dem under sömn som posthypnotisk suggestion. Flera av dem var bedragerskor som visste vad man väntade sig av dem. Somliga luktade med förtjusning på en flaska ammoniak då man sagt dem att det

var eau-de-cologne, andra åt ett stycke träkol när det räcktes dem som choklad. En annan kröp på alla fyra på golvet ursinnigt skällande när man sagt till henne att hon var en hund, flaxade med armarna som för att försöka flyga när hon skulle föreställa en duva, lyfte på kjolarna med ett rop av förskräckelse när det suggererades henne att en handske som kastats på golvet var en orm. En annan gick och vaggade ömt en hög hatt i armarna om man sade henne att det var hennes barn. Hypnotiserade till höger och vänster dussintals gånger om dagen, av doktorer och studenter, tillbringade många av dessa flickor sina dagar i ett slags halvtrance, med hjärnan förvirrad av de orimligaste suggestioner, endast halvt medvetna och säkerligen inte ansvariga för sina handlingar, dömda att förr eller senare sluta i Salles des Agités, om inte i dårhuset."

Jag känner igen det.

När jag var barn, talade såsom ett barn, och hade barnsliga tankar, alltså i sextonårsåldern, besökte jag en gång en föreställning arrangerad av en suggestionsartist, en hypnotisör. Det var i aulan i Skellefteå. Det satt kanske sjuttio personer i salen. Vi hade alla betalat inträde, tre kronor. Jag var blyg, gick därför inte gärna upp på en scen som försöksperson, men bemannade mig, av nyfikenhet.

Det var första gången jag stod på en scen.

Nej, inga missförstånd. Inte var jag intagen på ett gigantiskt sjukhus i Paris, icke befann jag mig bland fashionabla demimonder, berömda aktörer eller lystna intellektuella observatörer, nej detta var endast aulan vid Skellefteå Läroverk. Vi var kanske sex personer som stod uppe på scenen.

Hypnotisören en man i femtioårsåldern. Han svettades.

Allt det Axel Munthe beskrev i "Boken om San Michele" fanns här. Kanske inte så framgångsrikt eller dramatiskt, men amatörhypnotisören och den kringresande suggestionisten – hette det så? – försökte: och jag minns smärtsamt tydligt hur jag senare intalade mig att jag gjort alltsammans för hans skull. För att han svettats så mycket. För att lindra hans rädsla. För skräcken som han delgav mig. För att publiken där nere var en fientlig massa som vilket ögonblick som helst skulle ha vänt sig mot honom om han misslyckats, och då skulle det ha varit mitt ansvar! förstod jag då plötsligt! de skulle vänt sig mot denne tvivelaktige kringresande suggestionskonstnär med hån eller missnöje, som ett aggressivt hotfullt djur, en förnuftsstyrd blodtörstig massa som i nästa ögonblick skulle ha kunnat gå till attack; och att vi, där uppe – i det klara kalla elektriska ljus som fick honom att svettas så häftigt, inte av detta ljus, men framför allt av skräck – att vi därför gemensamt skulle visa ett ansvar, en konstnärlig delaktighet. Och att vi hade en uppgift gentemot den fientliga misstrogna massan där nere som kanske, om vi misslyckades, med ett rytande av hån eller skratt skulle kasta sig över oss.

Vi, konstnärer, mot djuret folkmassan; och jag visste att vi gemensamt måste lösa denna skräckinjagande och förfärande uppgift.

Sedan har jag aldrig stått på en scen, och alltid stått där.

Gemenskapen i förförelsen är det enda jag minns. Jag tyckte om honom. Innan jag gått upp på scenen var han en avskyvärd charlatan, väl där uppe kände jag medkänsla, delade hans skräck för det fientliga människodjuret.

Det var min korta vistelse på Salpêtrière, ett sjukhus beläget på scenen i Skellefteå Läroverks aula, där jag betalat tre kronor i inträde och blivit delaktig.

2.

På nätterna skulle hon berätta för Marie, likt en beskuren och orörlig Sheherazade, för att inge livet mening.

Blanche Wittmans förfärliga liv framstår i de tre böckerna som meningsfullt, mot bättre vetande. Omslutna av ett svagt skimrande blått ljus är de varandras förebedjare. *Mitt öde, och allt detta som vederfors mig under professor Charcots säkra handledning, föreföll ofta vara ett slags tröst för Marie.*

Hennes handstil klar, lätt att läsa.

Nyktra minnesbilder, avbrutna av plötsliga obegripliga flykter in i drömmar *för att rädda Maries liv*. Då måste hon lägga ihop på ett särskilt sätt. Det skulle ju hänga ihop, och ha en mening. Pechblände dödar trots inblandade barr från en skog. *Strålning förvittrar min kropp. Jag är inte rädd. Jag ska snart dö.* Det kommer som en plötslig, nästan skämtsam, anmärkning.

Det har hon inte sagt till Marie. Men kanske det följande?

Förklaringen är alls icke att jag kände rädsla, eller underlägsenhet, inför Charcot. Han uppteckade den 3 oktober 1880 sitt vetenskapliga schema för första gången på min kropp, som han delvis avtäckte, men icke på ett sedeslöst sätt så att mina bröst blev synliga. Kramperna jag haft i flera år, och som ej var att förväxla med epilepsi, men som kastade min kropp i bågar mot den svartnande himmel som saknade nåd, fick mig att väsa som i hat eller förakt mot den Gud som icke fanns. Han straffade mig som vore jag Job, icke en fjäril på flykt ifrån himlen, utan en nedstörtad ängel utsatt för hämnd. Charcot uppgjorde då ett rutschema, i vilket han inplacerade koordinater – jag lärde mig senare ordets innebörd – med vissa punkter angivna. Han använde en penna. Jag noterade att han icke utmärkte de lustans punkter som vanligtvis anses ha samband med lidelse. När jag senare biträdde vid arbetet på Iconographie Photographique de la Salpêtrière var det med närmast humoristiskt intresse jag på en schematiskt tecknad kvinnobild fick utmärka de hysterogena zonerna – på framsidan 11 till antalet, på ryggen 6. Det var en illustration som i själva verket beskrev mig själv, men i grafisk form. Jag kunde då nedteckna bilden av en människas förvirrade känsloliv på en teckning, med förenk-

lad klarhet. Först senare slog det mig att detta var jag, en människa, och att jag, i stället för att betrakta mig som så motsägelsefull, och kaotisk, hade kunnat förenkla mig själv till denna – jag tvekar ej att använda ordet – renhet. Denna renhet var det jag eftersträvat att behålla i mitt liv ända sedan mina upplevelser vid flodens strand.

Dock ställde jag ännu felaktiga och nästan hatiska frågor till honom.

– Tror ni att jag är en maskin och icke en människa, hade jag frågat; vid denna tid använde jag ännu icke tilltalsordet du till honom.

– Nej, värjde han sig, men såg åt sidan som om han känt orden som en anklagelse.

– Men ni tror, vidhöll jag, att ni genom att beröra dessa punkter ska få mig i er makt?

Han hade intet svarat.

Hans assistent Sigmund hade en gång utfrågat henne om hennes barndom och uppväxt.

– Kände du någonsin lust till din bror? hade han frågat.

– Självfallet, hade hon svarat.

Han såg att hon ljög. *Men*, skriver hon, *vilka berättelser griper man inte lystet efter också nu, långt efteråt, när livet upphört, och man placerats i en trälåda på hjul!* När hon var fjorton år, ännu ett barn, med barnsliga tankar och en rabiessmittad vargs brist på eftergivenhet och förlåtelse mot livet, återvände en gång hennes far för att uppsöka sin hustru. Denna var inte hemma. *Min mor hatade honom, han henne. Också jag hatade henne, men endast fram till det ögonblick hon uppslukad i flodens famn lämnade mig. Då brast jag i häftig gråt, som inför en amputerad kärlek.* Blanches far talade artigt till henne, gick ut i trädgården och plockade in tre gula blommor som han gav henne, som vore hon en främling, en okänd och vacker ung kvinna.

Han gick, det var skymning. Hon hejdade honom dock i trädgårdsporten, tog fast i hans axel, vred honom mot sig och kysste honom länge, som vore han en man och hon en kvinna. *Jag fann behag i hans kyss. Jag sörjer honom djupt. Och denne unge slyngel frågar mig om min bror, om jag känner lust till honom!*

Ack nej. Men tre blommor! Gula! Hon tyckte det var komiskt.

Man kan kanske berätta sig fram till den punkt där det oförklarliga blir synligt också från en trälåda på hjul.

Därmed inte sagt att man förstår.

Hon säger till Marie att hon *hade hatat Charcot redan från första stund, men sedan inte hatat mer, snarare älskat honom.*

Till sist älskat honom väldigt mycket.

Enklast så. En kärlekshistoria sammanfattad. Det kan börja så, i avsky. Sedan förändras allt. *Du är den jag älskar, och alltid skall älska, i evigheters evigheter.*

Blanche var arton år när hon internerades på Salpêtrière.

Det var inte det första internatet; sedan hon var sjutton hade hon tagits in och ut på flera vårdanstalter. Dårhus, brukade hon säga. De flesta tog detta ord *dårhus* som utslag av högmod. Jag har varit internerad på fem dårhus, kunde hon säga, med lugnt nedslagen blick, *vacker som en alpviol*, med en hotfull mjuk underton som antydde att dårskapen kunde explodera när som helst. Hon var ju så vacker. Den hon kom att älska, Jean Martin Charcot, var född i Paris den 29 november 1825 och var son till en vagnmakare.

Man får leta mellan bilderna, inte i dem.

Han hade inga särskilda minnen från sin barndom. Det han mindes tydligast var den sommar han vistades vid kanalkusten, i närheten av staden Saint-Malo. Från denna sommar hade han ett tydligt minne. I övrigt tomt, inga minnen. Hennes upprepningar är sinnessjuka. Kärlek kunde hon inte förklara, men försökte.

Dårhus, brukade hon säga. Sjukhus är väl riktigare, eller asyler.

Ingen har någonsin, varken före Salpêtrière eller efter, beskrivit henne som sinnessjuk. Ändå in och ut på dårhus, och ständigt denna lugna ljuva hotfulla skönhet. Hon bröt samman med jämna mellanrum, fördes in, botades, fördes ut, och bröt samman igen. Vad jag känner igen det!

Som sagt: hon hade avskytt Charcot från första stund. Sedan inte längre.

Hon fick återfall av ”hysterisk karaktär”.

Anfallen inleddes med en tonisk, och senare klonisk, fas. Sedan, efter en kort paus, en extrem *opistotonus*, med *arc de cercle*, ibland med *vocalisation*. Då blev hon farlig, fast vacker. Ingen visste sig någon levandes råd.

Jag tror att alla hade gett upp henne.

Man hoppas länge att kunna locka någon tillbaka till det gängse. Sedan ger man upp. Då sändes Blanche Wittman till Salpêtrière. Det var liksom slutstationen, eller avfallsplatsen. Dårarnas slott, kvinnoslottet, avfallsslottet för de hopplösa.

Men hon var ju bara arton!

Blanche inträdde i en gammal tradition på Salpêtrière, på sjuttonhundratalet Europas största asyl med åtta tusen internerade. Detta i en stad med en befolkning på endast en halv miljon! vilket medförde att ofta tre till fyra tvingades sova i samma bädd, och där särskilt avdelningen för vanartiga unga kvinnor, eller snarare barn, i La Maison de Correction, utgjorde en viktig del. I La Correction inspärrades unga flickor som definierades som antingen *perverterade eller degenererade*. De hade internerats på begäran av sina familjer, en begäran som riktats till Konungen eller administrationen i Hospice Général. Föräldrarna, eller i många fall grannarna, insände en ansökan som fastslog att de vanartiga flickorna var en olägenhet för familjen, eller grannarna eller, i en vidare mening, för den närregion där de levde, till exempel ett kvarter; och barnen överfördes då till La Correction i Salpêtrière.

Och hur snart märktes inte konvulsiviska symptom! De perverterade och vanartiga barnen avskildes från de prostituerades kvarter, La Commune, endast med en öppen plats; dessa unga flickor behövde inte underkastas rutinerna för de prostituerade, alltså brännmärkning på höger skuldra med ett ”V” eller en ”fleur de lis” (kanske har hon inte hämtat bilden med brännjärnet från Racine ändå!), eller sammanblandas med de många kvinnor som definierades som ”politiska fångar” i La Grande Force, där särskilt vid mitten av 1700-talet de så kallade extatiska *convulsionnaires* från Saint-Médard var legendariska inom Salpêtrièretraditionen.

Blanche fördes ju in i en historia! I modernitetens solkiga historia!

Man hade fört in henne i Slottet som man för in boskap i en fålla.

Hon hade inte vrenskats, men en av vårdarna hade hållit henne hårt i armen, och när det gjorde så ont att hon *exklamerat konvulsiviskt* – uttrycket begripligt fast knappast korrekt som så mycket annat i Frågeboken – hade han tagit henne runt midjan och senare lugnande smekt hennes bröst. *Ej minns jag hur många av dessa så kallade sjukhus jag besökt, eller tvingats in i. Men min far hade, som lösning på ett problem han ej mäktade bemästra, sagt till de ansvariga att jag var sjuk till sinnet, att jag kommit med falska anklagelser mot allt och alla, alltså också honom, och de oskyldiga vårdare som förde mig in på Salpêtrièresjukhuset kunde ej klandras att de betraktade mig som en galning som måste lugnas. Mycket hade ju också sagts i tidningarna om de vattusjuka, också benämnda rabiessjuka, som doktor Pasteur skapat så stor uppmärksamhet kring. Vårdarna hade kanske skräck för att jag skulle vara smittad. Det var väl bekant hur till exempel de rabiessmittade ryska bönder som bragts till Paris, och doktor Pasteur nu studerade, hur dessa galna av skräck och ångest beto på järngallret och kastade sig mot stenväggarna för att förkorta sitt outsägliga lidande. Var det då inte möjligt att jag, denna skrämmande unga varelse vid namn Blanche Wittman, som ofta drabbats av rabiesliknande spasmer, också vore smittad!*

Och alltså hade de lugnande smekt hennes bröst och skämtsamt fört henne in genom den port som var inträdet till det slott där hon nu skulle tillbringa sexton år av sitt unga liv.

Det var den 12 april 1878.

I tre månader vistades hon där, innan hon första gången såg den man som regerade över Slottet, den mäktige doktor Charcot, den beundrade och fruktade. *Och när våra ögon möttes, och han lutade sig över sin journal för att granska vad som fanns upptecknat om mig, erfor jag ögonblickligen en känsla av hat, en känsla som han ej delade, och som jag senare skulle omforma till kärlek. Jag visste att han önskade styra mitt liv, och jag visste att han skulle misslyckas. Från detta ögon-*

blick var han räddningslöst förlorad.

Mycket mer skriver hon inte om ankomsten.

Charcots tystnad var väl bekant.

När han undersökte en patient inför fredagspubliken – senare också på tisdagar – satt han ofta tyst, tankfull, och betraktade henne. Sedan kunde han framställa en kort fråga med låg och nästan viskande röst, sedan ånyo tystnad. Ibland ett plötsligt vänligt leende som lika plötsligt försvann, som om han fått en ingivelse som genast suddats bort av hans förstånd.

Blanche var ju så ung. Man vet inte ens om han från början fäst något avseende vid henne.

Mycket vacker, nedslagna ögon. Hur skulle han ha kunnat veta.

3.

År 1657 förbjöds tiggeri i Paris, tiggare arresterades och fördes till Salpêtrière, som på 1700-talet blev Europas största asyl med mer än åtta tusen patienter och fångar.

Ingen kunde skilja på dessa båda begrepp, patient och fånge. Man enades därför om patient.

De gamla, de medellösa, tiggarna, de veneriskt sjuka prostituerade, de förlamade, de kroniskt sjuka, de spastiska, de sinnessjuka och de tillvaratagna barnen, alla samlades de där. Också de som inte kunde på detta sätt definieras, men som förvandlats till någon av dessa kategorier. De lägsta av alla dem som inneslutits vistades i Slottets mage, den innersta bukhåla som benämndes Les Loges des Folles: källarhålor med lergolv avsedda för dementa sinnessjuka kvinnor där snart de svagaste patienterna avlivades av de otaliga stridslystna råttor som i mörkret upptog sin kamp för att överleva, en kamp som oftast var segerrik gentemot dessa åldrade kvinnliga inkräktare.

Detta var Slottets innersta rum, bukens innersta håla: som vore Slottet ett närmast mänskligt väsen. Inne i denna mänskliga varelse fanns en förfärande hemlighet, ett innersta rum, människans outforskade svarta skräckdröm.

Men för denna innersta håla visade i hundra år Slottets utkorade härskare ringa intresse.

Senare sades att doktor Charcots föregångare hade förbättrat förhållandena.

Vem genomborrade och uppsökte bukens håla?

Kanske Philippe Pinel? Född 1745, en vän till Benjamin Franklin, senare upplysningsman, med drömmar om att resa till Amerika; han kom i stället som läkare till Salpêtrière, och blev kvar till sin död 1826. Under franska revolutionen, då han uppmuntrad av upplysningsidéerna hade föreslagit att de sämst behandlade fängslade kvinnorna skulle befrias från sina bojor, hade man frågat honom: *Medborgare Pinel, är du själv galen som vill lösgöra dessa kvinnliga djur!* varpå han hade svarat att de blivit galna på grund av stanken, bristen på frisk luft, tusentals råttor, mörker i hålorna och hopplöshet. *Sade då revolutionären: Gör som ni vill, Medborgare Pinel!* Några hundra kvinnor släpptes nu ut i ljuset. En upprörd folkmassa som skrämts av de frisläppta kvinnornas utseende kastade sig över Pinel. Han räddades dock av en soldat vid namn Chevigne, som han dessförinnan befriat efter tio år i bojor.

Ja, hade Charcot sagt till Blanche på hennes fråga en natt kort före hans tragiska död i hennes armar, *Pinel var min förebild.*

Däremellan? Mellan 1826 och 1862?

Många.

Men Pinel var förebilden.

4.

Var det en lindring att hon berättade för Marie?

Man måste föreställa sig detta som en tragedi gestaltad på en gigantisk teaterscen, där scenen var allt, aktörerna i tusental, och där nere i salen endast en handfull åskådare.

Nej, en enda, Marie Skłodowska Curie! Omstrålad av kärlekens dödliga blå ljus! I väntan!

Blanche blev en gång uppmätt.

Det var av Paul Broca, professor i nervkirurgi med specialisering på det mänskliga kraniet. Han var en elev till Lombroso, vars studier av människans kranium, och särskilt kvinnors och förbrytares kranier, där han såg vissa slående likheter, skulle fascinera inte minst August Strindberg.

Blanche tyckte illa om Broca. Hon ansåg att han i grunden betraktade henne som ett vackert djur, vars skalle kunde mätas och vägas. Men hur snillrikt förstod ej denna unga flicka Blanche, spetsknypplerskan!, att försvara sig mot detta andliga förtryck! Hon fann ett citat från Hippokrates, en kritik av relevansen för mätning av det mänskliga huvudets form. *Vem kunde ha förutsett, om man utgick endast från den mänskliga hjärnans form, att en bägare vin kunde så derangera dess funktion?*

Charcot hade *skrattande uppskattat mitt citat från Hippokrates*, och använt det i en föreläsning. *Vi trevar oss in i en helt igenom okänd kontinent med dig vid handen!* hade han sagt, och sedan länge prövande och tyst betraktat henne.

Menade han just Blanche?

Eller Kvinnan överhuvud?

Man kallade Salpêtrière, när han kom dit, för världens största potentiella centrum för klinisk neurologisk forskning.

Den unge Charcot mötte ett skräckkabinett av sjukdom, ett kaos av oklassificerade lidanden, av rop, böner och fördomar. Skräckkabinettet var befolkat, skrev Charcot redan 1867, av mentalt efterblivna, av mentalt störda, av idioter, av epileptiker och sinnessjuka, *samtliga kanske bara människor.*

Uttrycket är nog medvetet oklart: *kanske bara människor.*

I centrum av denna hord av ”mänskliga råttor” befann sig då en grupp av 2 500 kvinnor, på vilkas problem ingen hade ett svar, och vilkas gåta var så omöjlig att lösa att de helt enkelt inneslöts, som förtrollade men icke behandlingsbara.

Blanche skriver upprepade gånger att Salpêtrière *inhyste de förtrollade.*

Varför stannade Charcot på sjukhuset?

Här började, hade han en gång sagt, förnuftets framtid. När han kom till sjukhuset första gången, på ett tillfälligt besök, och såg all denna smuts, denna skräck, dessa förlamade lemmar, skakningar, darrningar, vrål och ångestfulla böner, och visste att världen saknade all kunskap om neuropatologi, hade han sagt till sig själv: *”Faudrait y retourner et y rester.”*

Det är nödvändigt att återvända dit, och där förbli.

Detta är som med kärleken, skriver Blanche med sin barnsligt runda handstil, *man blir fast för livet, hur mycket man än önskar sig friheten.*

Önska sig friheten! Vilket han dock ej gjorde.

Om Charcot och kommunarderna.

Skapandet av ett nationellt centrum för neurologiforskning, med Charcot i spetsen, var ett sätt att återställa nationell *gloire* efter 1870 års nederlag och blodbadet i samband med kommunardupproret. Också den stora amfiteater som byggdes på området, avsedd för Charcots större offentliga föreläsningar, och de enorma summor som satsades på hans forskning och föreställningar hade ett nationellt syfte. Fredagsföreläsningarna, de som avbildas på den berömda målningen med den vanmäktiga Blanche och Charcot, flyttades nu till tisdagar på den större offentliga arenan, *Leçons du Mardi à la Salpêtrière.*

Man kunde säga: detta var Frankrikes ära, gestaltad i form av en teaterföreställning kallad *Den vanmäktiga Blanche.*

Charcot fick inte röra henne, bara under föreställningarna tillät hon detta, när alla fanns närvarande. Men då valde han att låta assistenterna göra det. En gång hade han gråtit, men bemannat sig, och så hade de senare genomfört en helt igenom lyckad föreställning.

Hur svårt att skilja konstverket som tröst och läkning från det som förförelse!

Jag älskar dig, hade han sagt. Men hon hade inte velat svara, och så hade han också efter denna tisdagsföreställning återvänt till sitt hem och sin hustru och sina barn, och hon till sitt rum, och han till sitt rum, och båda hade de i mörkret legat på sina sängar på evigheters evigheters avstånd från varandra och stirrat upp i taket och inte vetat sig någon levandes råd.

År efter år? hade Marie Skłodowska Curie frågat.

År efter år.

5.
Först fiendskap.

De närmade sig varandra långsamt, de cirklade runt, som två samurajer, väntande på det dödliga angreppet.

Halv, delvis censurerad sida i Den svarta boken angående svartsjukan.

Charcot såg henne ofta gå över gården, in mot Gilles de la Tourettes arbetsrum; han noterade, kanske ännu likgiltigt, att hon gick dit. Hon hade redan efter ett år tilldelats ett eget rum på sjukhuset. Det var exceptionellt. Hon var väl klädd. Det var som om hon varit en tropisk fågel som förirrat sig. Han undrade kanske vad hon gjorde på Gilles de la Tourettes mottagning.

Han hade känt en svag irritation, som hade yrkesmässiga förklaringar.

Gilles de la Tourette hade en *helt igenom vetenskaplig dröm* som Charcot en aning spefullt brukade kalla ”Tusen och en natt”. Ett urval av hans patienter användes där. Tanken var att i Slottet berättade man sagor för att överleva. De handlade ofta om kärleken. de la Tourette hade väntat sig andra sagor, grymmare, men det var om kärleken de handlade. Han kunde inte hantera dessa berättelser.

Charcot var misstrogen. *Kärleken som neurologiskt anfall med katatoniska inslag*. Kunde man *berätta fram neurologiska anfall*, till exempel kärlek? Eller ens en rimlig förklaring *hur allt hängde ihop*? Vad var det de la Tourette sysslade med: ett krympande dussintal som till sist utgjorde experimentgruppen, det var Bas, Glaiz och

Witt, som de förkortades i protokollen, egentligen bara tre, inte mer.

Sedan hade Charcot övertagit allt. Också Blanche. Bas och Glaiz var ju bara förkortningar som inte skavde på hans själ som ett sandkorn. Witt, alltså Blanche Wittman, var något helt annat.

Först många tusen. Sedan ett dussintal. Till sist en enda. Egentligen bara en enda som räknades.

Nu var det bara Blanche.

Witt, som han skrev i protokollen.

I protokollen nedfryste han sin kärlek.

Witt var en människa i det mänskligas periferi. Först betraktade han mig som ett ostron, hade hon sagt till Marie en natt, man droppar citron på detta ostron för att se om det lever, och egentligen är en människa. Han droppade citron på mig. Sedan greps han av kärlek. Det var straffet. Kärlekens straff är det grymmaste, särskilt om den älskade förvandlas från ostron till människa.

Hon var inte säker på att Marie hörde. Marie låg ofta på golvet intill trälådan, på en madrass, med slutna ögon. Förstod du, Marie? frågade hon då ut i mörkret, förstod du bilden med ostron?

Bilden! Hon försöker förklä sig! Det var med säkerhet på grund av detta som Marie teg.

Man kan också tänka sig att Blanche är den okända djungel i vars inre Charcot förirrar sig. Och de sista åren av sitt liv förtvivlat försöker leta sig ut ur.

Den första undersökningen: verkligen ett samtal där han intresserad droppar citron på Blanche, för att se om hon drar sig samman.

– Jag har lagt märke till, hade Charcot med mycket låg röst förklarat, att du håller dig undan de övriga intagna.

– Det är riktigt.

– Som om du var förmer än de, en något sublimare människa, eller, vad säger man, att du bär på en något sublimare sjukdom? Är det så du ser det?

Hon hade tittat honom rakt i ögonen och sagt:

– Professor Charcot, jag vet att ni har all makt på denna anstalt. Gör er inte mindre än ni är genom att påpeka det. Jag vet. Ni tror jag är högmodig, ni vill förminska mig tills jag uppnår en önskad ödmjukhet. Det är därför ni frågar. Ni önskar en större makt över mig.

– Jag frågade inte om detta, hade han sagt efter en lång tystnad.

– Men jag svarade på er fråga, hade hon då snabbt genmält.

Ordet medicin, hade Charcot senare sagt till henne, han säger nu du till henne, *kommer från Medea, häxkonstens moder*. Är du då en magiker, hade hon frågat. Nej, hade han sagt, jag är en förnuftets fånge, med mina fötter djupt i den lera som magin utgör.

Vill du då bli fri? hade hon frågat.

Han hade länge varit tyst, sedan svarat. Ja, hade han sagt, jag vill bli befriad, men blir aldrig fri. Men även om jag lyckats befria mina fötter från denna lera skulle den ändå alltid kleta vid mig.

Är det därför? hade hon frågat. Därför, hade han svarat.

Han hade sagt att hans metod inte kunde förklaras rationellt, och det som inte gick att förklara var det bäst att fortsätta att söka. Hon hade antecknat – och hon måste ha missuppfattat något – orden *kärlek liksom medicin är en spekulativ metod strängt baserad på fakta.*

I Den svarta boken beskrivning av en framväxande spänning.

Han hade gått in i sitt arbetsrum och lämnat dörren öppen, ett ögonblick hade Blanche tvekat, sedan hade hon följt efter. Han vände sig inte om, men visste att hon var där. Bakom den stora gröna krukan där han förvarade Badroisrelikerna fanns en mindre bokhylla, med bruna mappar; han tog fram en av dem, slog sig ner vid arbetsbordet. Blanche stängde dörren. Han gjorde inga invändningar. Hon satte sig vid hans sida. Hans handstil var lätt att läsa. Han följde skriften med sitt pekfinger, läste hela tiden högt och långsamt.

Han hade en så vacker röst. Det hade hon också senare sagt till honom.

Han hade i dessa privata samtal berättat om det han kallade ”det förflutnas gåtor”. Han hade inkluderat *”the great saltatory epidemics”* från medeltiden bland dessa gåtor, dansepidemierna som Saint Guy, eller det som kallats *"chorea germanorum"*. I dossién hade han samlat informationer om dem av hans patienter som kom från särskilda geografiska områden. Som drabbats av *diaboliska transaktioner som uteslutande rört begränsade platser* – han läste högt med sin vackra och lugna stämma och det fanns en egendomlig spänning i rummet, i hans röst och hos de groteska vetenskapliga fynd han redogjorde för. *Jag minns särskilt en gång när han berättade om den store jansenisten François de Paris, som dött i en ålder av trettiosju år på grund av självpåtagen svält. Denne hade blivit en helgongestalt bland dessa som av religiösa skäl iklätt sig svältens heliga mantel – och senare hade de sjuka, fattiga och svältande samlats vid hans grav på en kyrkogård i Paris och genom att be, och vidröra hans gravsten, sökt lindra sina lidanden.*

Där uppstod till sist en ansamling av trasiga och elända, som under våldsamma konvulsioner, i kramper och extatiska hopp högt upp i luften försökt åkalla detta helgon, och erhålla lindring och nåd. Till sist blev detta för mycket för den allmänna moralen. Konung Ludvig den femtonde hade då, eftersom dessa groteska teaterföreställningar på denna stilla kyrkogård väckt sådant uppseende, beslutat att stänga kyrkogården, fängsla de konvulsiviska, och föra dem – till just Salpêtrièresjukhuset!

Detta gällde året 1732. Blanche hade vid denna beskrivning avbrutit honom och utropat Trolldom! varpå Charcot med ett egendomligt leende, och nästan endast till sig själv, sagt: Ja detta är trolldom, men den trolldom som är en tråd i den väv våra liv är vävda av.

Han hade sedan berättat om den holländske reformatorn Jansen, död 1638, av somliga betraktad som kättare, men att ännu i Paris starka och hemliga celler fanns som var jansenistiska.

Han hade känt flera av dem, hade han sagt, som i förbigående, eller som ett otydligt försök att locka Blanche in på områden han inte varit säker på att hon ville beträda.

Trolldom!

Var detta verkligen bara trolldom? frågar hon, som om hon samlar material till ett försvarstal för sin älskare.

Charcot var pionjär inom de neurologiska sjukdomarnas fält, med avgörande insatser i fråga om bl.a. neuropatiska inflammationer i benens långa nervbanor, "råttor under huden", även kallat Charcot's disease, och multipel skleros. Men Blanches försvarstal är avvikande. *Han avskydde engelsmän på grund av rävjakterna. Han fann varje form av djurplågeri avskyvärd, därtill hörde, menade han, all jakt.*

Jag frågade varför. Han menade att djuren genom att inte behöva göra sig förtjänta av kärleken, eller i varje fall genom att vara så skyddslösa, borde ges en kärlek av på något sätt religiösa dimensioner. Han hade använt ordet "agape".

Hon hade då frågat: Men jag då? Han hade svarat, nästan upprörd: Men förstår du då inte!!!

För sin sekreterare under ett år på 80-talet, en ung österrikare vid namn Sigmund Freud, redogjorde han vid ett tillfälle för sin upptäckt av multipel skleros.

Av en tillfällighet hade han kommit i kontakt med en städerska som led av en egendomlig form av skakningar, vilket medförde att hon var klumpig i sitt arbete, och därför nu var arbetslös. Charcot anställde henne i sitt hem, diagnostiserade först hennes besvär som "Chorea paralysis", redan beskriven av Duchenne, men fann snart att hennes långsamt försämrade tillstånd pekade i en annan och hittills okänd riktning. Han behöll henne som städerska till hennes död, trots hustruns protester, och kom genom studiet av henne in på det spår som senare ledde till den slutgiltiga identifieringen och diagnostiseringen av multipel skleros, något som också bekräftades när denna tjänstekvinna dog, då Charcot med denna naturliga tillgång till sin städerskas lik genast blev i stånd att obducera henne, och fick sin analys bekräftad.

Han accepterade sålunda hennes alltmer accentuerade klumpighet ända fram till hennes död, leddes därför in på rätt spår, och gjorde hennes sista år både uthärdliga och humana.

Det skedde dock till priset av en oerhörd mängd krossat porslin.

Blanche återkommer i Frågeboken flera gånger till Charcots städerska, hon som visade sig lida av multipel skleros, och som destruerade så stor del av Charcots porslin utan att bli klandrad.

Betraktade han också Blanche som en sådan patient? Var det för övrigt verkligen naturligt att efter döden skära upp sin avhållna städerskas kropp? Var det inte rättvist, frågar hon på flera ställen, att hon då själv intog läkarens roll, och han patientens, den observerade, diagnostiserade och underlägsna? Kärlek och maktspel kan ju aldrig åtskiljas, som hon sagt en gång.

Han hade stirrat, fullständigt rasande, på henne, och ursinnigt lämnat rummet.

Så litet hade hon förstått! efter alla dessa år av misslyckade experiment! hade han senare sagt till henne, som förklaring till sitt utbrott.

Hon hade då endast frågat:

– Misslyckade?

6.

Inga exakta förklaringar, eller dateringar, när konflikterna övergår i kärlek.

Plötsligt en anteckning i Frågeboken som visar en förändrad situation.

Den 22 februari 1886 hade Charcot kommit in till henne, satt sig ner och tagit hennes hand.

Han hade suttit alldeles tyst och stilla och intet sagt.

– Vad vill du, hade hon frågat efter en stunds tystnad.

Han hade då endast försiktigt smekt hennes hand och svarat:

– Ingenting på jorden, eller i himlen om den finns, har jag åtrått så mycket som denna hand. Huden. Benet. Skelettet. Jag vet hur allting ser ut, beståndsdelarna. Men varför åtrår jag just denna hand? Är den hemligheten, Blanche, är handen hemligheten?

– Hemligheten? hade hon frågat.

– Ja, hade han svarat, jag kan inte sova, jag kan inte tänka, jag tror jag är lika besatt som dem jag vårdar. Jag förstår inte detta. Får jag sitta kvar en stund hos dig?

– Varför, hade hon sedan frågat.

– En plåga är det, jag tänker bara på dig.

– En plåga?

– Natt och dag.

Hon hade då inte vetat vad hon skulle svara, om den plåga han beskrev verkligen var hon själv, eller om han försökt säga något annat som kanske borde ha glatt henne. Det hade länge varit tyst i rummet. Intet hade han gjort eller sagt, endast hållit hennes hand, och lätt smekt den.

– Vad vill du, hade hon frågat, vill du förstå hur det hänger ihop?

– Ingenting fyller mig så med förvirring och ångest som denna hand.

– Vad ska jag göra, hade hon sagt.

– Sitt kvar.

– Är det allt?

– Sitt kvar.

Långt senare.

Hon hade sagt: Jag är inte enfaldig, jag vet att du älskar mig, men vår kärlek är teoretiskt omöjlig.

Till henne hade han då sagt:

– Teori är bra, men den kan inte förmå verkligheten att upphöra.

Hon har också en annan formulering, senare i Frågeboken: Teori är bra, men den förintar inte verkligheten. ”La théorie, c'est bon, mais ça n'empêche pas d'exister.”

Han använder i själva verket samma formel när han talar om sin vetenskap, och sina vetenskapliga invändningar mot en hypotes. Teoretiskt är detta galenskap. Men det existerar!

Han älskade henne ju. Han tyckte hon var så fin.

7.

Man måste föreställa sig Blanche som en ung flicka vars alla erfarenheter varit av ringa värde.

Så blev hon överraskad av en plötslig, vansinnig och helt oskuldsfull kärlek som denne äldre härskare över ett sinnessjukt och skrämmande kvinnligt slott *nedlade för hennes fötter som en bön.* Eller ett offer? kanske nedsmutsat av allt hon sett och fruktat, och nedtecknat. *Angående smärtor vid äggstockarna, de s.k. ovariesymptomen, kunde följande metoder användas. Om patienterna – på deras egen begäran – krävde behandling av dessa smärtor i underlivet kunde detta ske med användande av tryck, press, hårda slag eller, i vissa fall, med "svärdsslag", då svärd, med användande av bredsidan, piskades mot buken tills smärtorna avtog. I den medicinska historien var detta en vanlig metod vid behandling av dessa smärtor, men Charcot hade påpekat vikten av att bladet ej vändes så att skärsår och blödningar i underlivet uppstod. Han hänvisade i övrigt till sin lärjunge Désiré-Magloire Bourneville, som i boken "Science et miracle" utförligt behandlat miraklets långa väg in i modern vetenskap;* men hur skulle hon kunna skydda sig mot det hon såg! och hur skulle hon kunna förstå att denne Slottets härskare, professor Charcot, inför henne var så hjälplös!

Och vad var det han sökte hos henne?

Sökte, och fann.

De tycks ha träffats på hans arbetsrum på Salpêtrièresjukhuset, alltid kyskt sittande på var sin sida om hans skrivbord, aldrig intima, samtalande med låga röster.

Man måste föreställa sig att dessa låga röster ägde en intimitet, som hud mot hud. Varför skulle de annars låta bli att röra vid varandra? Jo, handen, det är sant, en gång hade han hållit hennes hand. Men under de medicinska förevisningarna, när alla betraktade? Nej, han lät endast sina assistenter beröra de hysterogena punkterna. Aldrig själv.

Men här: avstånd, och yttersta närhet.

Vad var det han sökte hos henne? Och hur förklarade han hennes roll i de offentliga experimenten, när hon likt en maskin intrycktes i ett somnambult tillstånd, och sedan återuppväcktes? Vad var meningen?

Charcot hade en gång förklarat för henne att han drömt om en situation då människan, *den egentliga människan*, kunde frigöras från det som omgett eller snarare skapat henne. Han använder ibland ordet ”maskin” synonymt med ”som ett djur”. Alltså med känslor renare än människans.

Renhet! Så skrämmande.

Han hade för Blanche förklarat att den idé, eller de idéer, som under en människas liv format och förändrat henne på detta sätt kunde, i det hysteriska tillståndet, avskärmas från henne. Man sätter en glaskupa, bildligt talat, över människan, *över människan om en sådan verkligen finnes*. Över hennes uppfostran, hennes sociala och sig tillägnade kompetens; hela det mänskliga *regelverket* skulle isoleras från henne, och bara den ursprungliga människan finnas kvar. Alltså hennes *ego*.

Och han hade tillagt: *först då kunna vi se framför oss människan i viss mån som en maskin, en gång framdrömd av La Mettrie*.

Hon hade frågat: De punkter du utmärker på min kropp, de punkter där du trycker, eller där du beordrar dina vitklädda slavar att trycka, och där de katatoniska anfallen framkallas, det är alltså punkter som når in i *mitt egentliga jag* – och som för första gången framkallar detta ego i all sin enkla, kanske förfärande, men dock tydliga klarhet?

I viss mån, hade han svarat.

Är jag då, genom att vara en maskin, befriad från livets smuts?

Kanske, hade han svarat. Men du är i någon mening närmare ditt mänskliga jag än du någonsin varit.

Som vore jag ett djur? hade hon frågat.

I viss mån, hade han ånyo sagt, lågmält, och med kärlek.

8.

En gång på våren 1888 hade de haft en konflikt.

Blanche skriver inte av vilken karaktär, men den hade resulterat i att hon "skrikande" hade rusat ut ur hans rum, och Charcot därefter i vredesmod överlåtit behandlingarna till sin kollega Jules Janet. Blanche hade redan då haft rykte om sig att äga en scenisk gestaltningsförmåga lik Sarah Bernhardts, och den unge Janet hade, för att göra intryck på sin omgivning, inkallat en publik bestående av jurister, forskare och specialister på rättsmedicin, för att med Blanches hjälp lösa, eller i varje fall belysa, frågan huruvida *en kvinna i ett somnambult tillstånd kunde föröva ett brott.*

Blanche hade varit storartad.

Hon hade lydigt och med teatral våldsamhet fullgjort de mest blodtörstiga uppdrag, som knivdråp, pistolmord och förgiftning. När inbjudna honoratiores lämnade platsen var denna, bildligt talat, täckt med lik och kroppsdelar, och föreställningen hade klart bekräftat att den somnambula hysterikan var fullt i stånd att begå kriminella handlingar.

Några av Janets studenter hade dock dröjt sig kvar, och en av dem hade, på studenters vis, tillsagt den ännu somnambula Blanche att hon var ensam i rummet och nu skulle klä av sig och ta ett bad. Blanche hade då fått ett raseriutbrott, skrikit att studentens förslag varit skändligt, och jagat den skräckslagne ynglingen ut genom dörren.

Blanches raseriutbrott hade varat så länge att Charcot tillkallats, och Blanche hade med sammanbiten min och med ett lugn som för Charcot känts nästan dödligt hotande krävt en förklaring till varför denne varit otrogen. Charcot hade inte förstått, men hon hade upprepat ordet "otrogen" och med detta tydligen menat att han överlämnat henne i en annan forskares vård.

Detta hade varit en skändlighet, och en otrohet, och hon hade förnedrats. Han hade då frågat vilken skillnaden varit, eftersom hon ju också för honom uppträdde inför publik. Hon hade då försökt slå honom.

Det hade blivit ett långt uppträde mellan dem. Efterhand hade deras röster blivit lägre. De som lyssnat i korridoren hade haft intrycket att båda till sist tigit.

De hade sedan lämnat rummet, man såg att båda gråtit.

I Frågeboken antydningar om svartsjuka, eller maktkamp.

Blanche hade tidigare varit i Jules Janets vård.

Hon hade så sent som i januari 1886 förts till vårdsektionen Hôtel-Dieu i Salpêtrière – Charcot hade under en period varit sjuk – och där hypnotiserats. Hon hade då utsatts för "mesmeristisk passage", men också förts vidare till ett oklart status som antogs vara Gurneys djupa stadium. Man hade försökt komplettera med Azams variant av komplett somnambulism, senare med en blandning av Azam och Sollier, men Blanche hade vid uppvaknandet ett dygn senare förblivit i ett oförklarligt kluvet tillstånd, som i journalen antecknades som Blanche 1 och Blanche 2.

Vid Blanche 1 hade hon varit mycket rörlig och spastisk, närmast kärleksfull. Vid Blanche 2 var hon mycket stilla och ledsen och hade bett att *få komma tillbaka till Charcot.*

9.

Ett av de sällsynta vittnesmål som finns om Blanche Wittman efter Charcots död finns i A. Baudoins "Quelques souvenirs de la Salpêtrière". Paris Médicales 26: 517–520.

Han har närmat sig henne via bekanta till Marie Curie, och efter några månader – hon är då till största delen amputerad och endast vänster ben återstår att avlägsna – vågar han sig på den avgörande frågan.

Man kan tillägga att Marie inte är närvarande vid samtalet.

Han ställer frågan om hon inte varit medveten om de somnambula eller hypnotiska tillståndens grad av bedrägeri. Om inte anfallen, och de katatoniska tillstånden, varit simulerade. Hon svarar iskallt, och utan att höja rösten:

– Simulerade? Tror ni att det hade varit lätt att bedra professor Charcot? O ja, det fanns många kvinnor som försökte bedra honom. Då gav han dem bara en blick, och sade: Var stilla!

Ett halvår senare hade Baudoin läst i en tidning att hon var död. Samtalet måste alltså ha ägt rum någon gång 1912. Det är den enda dokumenterade intervju med Blanche som finns efter Charcots död, den enda text som kan komplettera Frågeboken.

Ge inte upp.

Jag hoppas ännu att Blanche hade en hemlig eller förtäckt plan i sin Frågebok som fick det att hänga ihop. De hysteriska anfallen måste ha börjat någon gång efter hennes sjuttonårsdag. De första diagnoserna antyder epilepsi, men man inser snabbt att så ”enkelt” är det inte. Och så bilderna av henne, alltså målningen, och det enda fotografiet.

Men bakom bilderna en annan bild.

Någon som stickar, någon som innesluten i sig själv grubblar över ett liv som långsamt runnit bort, någon som virkar en vante, det kan vara under andra världskriget, det måste vara så, hon virkar en vante med skjutfingret fritt, säkert något som ska sändas till de finska soldaterna under finska vinterkriget.

Vad heter hon? Hon virkar en vante. På natten oförklarliga snyftningar som skrämmer barnet.

En afton hade Charcot beklagat sig för Blanche Wittman och sagt att Salpêtrière ändå aldrig kunde tävla med Lourdes i trosfrågor.

Blanche hade frågat vad han menade med det egendomliga ordet ”trosfrågor”, och han hade då undvikande börjat berätta om François de Paris och hans gravplats, samt hur hans egen far uppfostrat honom till jansenist.

Blanche hade berättat detta för Marie Curie. Efter det inleddes dennas intresse för problemet Lourdes, *samt förändrades hennes rigida hållning till kärnfysik.* Vilket lustigt och i grunden historielöst påstående.

Plötsligt förbluffande anteckning i Frågeboken, en annan ton:

Och Charcot sade: En undergörare kan säga till sin patient: Ställ dig på dina ben och gå! Varför skulle vi då inte spela med i detta spel, om det är till nytta för en patient? Men jag säger eder: Gör aldrig något sådant, med vissa unika undantag. Det är, om du är helt säker på din diagnos. Annars icke. Jag säger eder: Profetera aldrig, om du ej vet.

En upplysningsman med ena foten i ockultismen. Dessa upplysningsmäns fasa inför det okända! Dessa förbehåll och garderingar! *Profetera aldrig, om du ej vet.*

Men då!

Han tycktes betrakta kärleken som en sjukdom som kunde framkallas.

Den första gången han rörde vid henne blev inte Blanche, men han själv, alldeles stilla. Det var den 22 mars 1878. Han hade sett henne då hon månaden innan blivit intagen på Salpêtrièresjukhuset och fått sin diagnos av Charcots vän, läkaren Jules Janet. Nu såg han henne för andra gången.

Charcot hade länge gått igenom hennes journal utan att lyfta blicken, så hade han tittat upp, och betraktat henne.

– Blanche, hade han sagt, det står i journalen att du är närsynt. Är det sant?

Hon hade suttit på en stol framför honom, mött hans blick och smålett. Han hade då bett att få hålla hennes hand, för att, som han sade, undersöka om kramper skadat de långa nervtrådarna. Hon hade gett honom sin hand.

Sedan dröjde det till den 16 augusti 1893 innan han fick äga henne. Så lång tid tog det.

Hon hade inte svarat på frågan om närsynthet, och han hade inte frågat mer. Men från denna stund, som i verkligheten varat i nästan två timmar, från denna stund hade han älskat henne, och han visste det icke.

Och från denna stund skulle hon förändra hans liv.

För övrigt var det sant. Hon var närsynt.

10.
Dock. De närmar sig. De börjar snart.

Det finns bara en utförlig redogörelse där det uttryckligen sägs att Charcot använder just Blanche Wittman som försöksperson. Otaliga andra beskriver experiment där kvinnan är anonym.

Men här är det "Witt".

Charcot hade, enligt protokollets inledning, haft ett samtal med Blanche före den offentliga behandlingen. Han hade då visat henne ovariepressen, *som han kanske skulle använda.* Den var tillverkad av läder och försedd med metallskruvar. Den placerades över kvinnans underliv och spändes fast med läderremmar runt hennes rygg. Båda skruvarna hade en skyddande läderkudde. När de sedan långsamt skruvades åt tryckte kuddarna av läder samman kvinnans livmoder. Ovariepressen var applicerad över hennes avtäckta mage och trycktes så ner mot det hysteroida centret, för att stoppa anfallen.

På detta sätt skulle den olyckliga och strandsatta kvinnan uppnå lugn, med hjälp av denna uppfinning som gått till medicinhistorien under namnet ovariepress.

Ovariepressen, hade han sagt, är inget undermedel, den kan användas endast för att hejda anfall. Och det finns så många missförstånd beträffande detta rent mekaniska hjälpmedel. Jag avser inte att i dag använda den. Han hade sedan blivit alltmer rasande. *Denna ovarie-*

fixering! Som om allt ont kom från äggstockar eller livmoder! Och kunde skäras bort!

Han hade först talat lågt och övertygande, sedan uppenbarligen upprörd, men varför hade han talat med henne? Någon måste för övrigt ha protokollerat, en tredje person fanns sålunda i rummet. I Frågeboken relateras samma samtal, men mer personligt, som om en tredje, gåtfull, i protokollen anonym person aldrig funnits. Det fanns något barnsligt i hans ögon, skriver hon, *när han dessa gånger tillät sig eller nedlät sig till att tala med mig.* Ett barns ögon, som om han var rädd, eller vädjade till henne, eller ville få henne att förstå, eller kände skuld.

Skuld? skuld!!! var det kanske därför han talade med henne?

De värsta missförstånden kommer från Amerika, hade han sagt, *de är där galna i kniven, de opererar bort livmodern, skär bort skamläpparna, de avlägsnar clitoris. De menar att kvinnans ovarier kan vandra i kroppen, att avlägsnandet av äggstockarna botar allt från epileptiska anfall till hysteroepilepsi. En doktor Spitzka vid American Neurological Foundation har antytt att jag är sinnessjuk som söker ickeoperativa vägar till hälsa, men jag tänker aldrig skära i dig, Blanche. Du känner mig. Jag använder aldrig experimentdjur, jag älskar djur, jag skulle aldrig använda kvinnan som ett djur!*

Hon hade då avbrutit honom och sagt *när jag var femton år förlorade jag min mor, som jag höll mycket av, i en olycka vid en flodövergång, och den smärta jag då kände kanske har kapslat in sig i mitt inre, och framkallar nu dessa krampanfall.* Han hade ett ögonblick förbryllad stirrat på henne, som om han inte förstod sammanhanget, men därefter med en trubbig bläckpenna börjat märka ut tryckpunkterna på hennes kropp.

Han hade förklarat att han med hjälp av tryck på dessa skulle framkalla de tillstånd hos henne som i viss mån skulle imitera *eller restaurera* de katatoniska tillstånd som var läkande. Han hade talat, medan han utmärkte dessa punkter, talat alltmer upprörd. *Man har anklagat mig för att på detta sjukhus framkalla en sjukdom som i verkligheten inte existerar! Att denna sjukdom endast finns i mitt huvud! Men den finns! Jag ber dig, betrakta världen utanför Salpêtrière, de som aldrig kommit i kontakt med mig eller detta sjukhus! Betrakta dessa elända, kvinnor och män! Jag säger dig, dessa hysteriska sjukdomar finns också hos män!*

I Tyskland hade man hånat honom och skrivit att dessa hysteriska sjukdomar *i så fall endast finns hos franska män, som är mer feminiserade!* han hade genmält att alla dessa sjukdomar återfinns också hos de starkaste män! hos gruvarbetare och timmermän! *Nej aldrig skulle jag drömma om att framkalla ett lidande som ej existerade, nej jag är en annan. Jag är en fotograf av mänskligheten, jag beskriver det jag ser.*

Jag är en kamera, och man anklagar nu denna kamera för att ljuga.

Han säger faktiskt så, ”*jag är en kamera*”. Men inte i

den tyska dekadensens 30-tal, som hos Isherwood, utan på Salpêtrière!

Europa! detta fantastiska Europa!

Det hade blivit en upprörd monolog. Han tycktes förtvivlad. Blanche hade för det mesta suttit tyst.

Publiken väntade, alltmer otåligt. Han ville inte gå in till dem.

Vad ser du då i mig, hade hon frågat. Jag ser dig, hade han sagt efter en lång tystnad. Jag är den förste som ser dig, och därför går vi nu in till denna förevisning. Jag frågade vad du ser, hade hon sagt. Om jag visste, hade han efter en lång tystnad svarat. Om jag bara visste. Men du följer mig in? hade han frågat, nästan viskande, som ett barn.

Och så hade de tillsammans gått in till den föreläsning och demonstration Charcot hade hållit den 7 februari 1888, klockan tre på eftermiddagen.

11.

Hon hade ju lärt sig att man fick uppsöka inte hur det var, utan hur det borde vara.

Det var ens eget ansvar.

Man måste dock låta sig föras med. Då blev man till sist innesluten i hur det borde vara. ”Hur det borde vara” var själva lösningen. Då var det lätt och mjukt och motståndslöst. Då var det möjligt att uthärda.

Det fanns alltid ett ögonblick som var *tyngande* i början av varje förevisning, innan hon vant sig vid åskådarna, den fientliga djungeln, rovdjuren som betraktade henne. Sedan försvann rovdjuren, hon gick in i det som var som det borde vara, *anträd endast färden in genom lövverket! och gå fjärilslikt! nej fladdra emot honom! som den gången i maj vi möttes och sedan enträget rörde vid varandra dock utan! dock utan att!*

Klockan var 15.01 och hon anträdde färden.

Hon visste att hon snart kunde, genom träden, urskilja vatten. Kanske var det en flod, eller en strand, kanske ett hav, nej det var en flod. Man måste gå försiktigt mellan träden, genom lövverket, så att man drog ut på det. Det skulle öppna sig långsamt, nästan andlöst. Hon skulle gå lätt och tyngdlöst, sväva nästan, veta att hon var en fjäril, *är icke Blanche ett namn på en fjärilsart?* en som letade sig fram mellan lövverket precis så långsamt och avsiktslöst som fjärilar på flykt rörde sig, mellan grenarna och bladen. Och då skulle man se mer och mer av vattnet.

Som var en flod.

När hon gick in i Auditoriet och såg publiken, då var det fint att veta att hon snart skulle fly in genom lövverket. Charcot visste det kanske också. Han hade den senaste tiden gjort introduktionen allt kortare, han visste säkert att hon skulle sluta ögonen, och att det då blev som *det borde vara.*

Det var viktigt att gå in i det som var *andlöst.* Som det borde vara.

Charcot hade så lugn och vacker röst, det hade hon

alltid tyckt. Det störde henne inte att han talade. *Denna patient som skall användas för demonstrationen är dock ingen maskin, vill jag säga er till att börja med, därför kan försöket misslyckas. Människan är mindre förutsägbar än en maskin, det är detta som gör oss till människor. Också experiment på djur inför auditorium skiljer sig från experiment i laboratorium under kontrollerade former. Så också här. Denna patient som lidit svårt av hysteroida anfall och kramper har en hysterogen punkt på sin rygg, en annan under sitt vänstra bröst, en tredje på sitt vänstra ben, och slutfasen i dagens behandling, som avser att vara en del i läkeprocessen, skall kanske då bli en extrem opistotonus, alltså en klassisk arc de cercle. Min assistent skall beröra i första hand punkten på hennes rygg.*

Hon visste att det skulle komma, och hon var beredd på att det skulle komma.

Det var en ceremoni som var svår i början, och sedan blev det som det borde vara. Det tog några minuter, just när hon kom in genom dörren var det värst, när sorlet tystnade och allas blickar vändes mot henne som nu var den alla talade om, den berömda! mediet! Hon som kallades Blanche, och som ägde en så egendomligt gripande skönhet. Drottningen bland de hysteriska! Och som så, plötsligt, kunde förvandlas inför deras ögon till kvinnan med många ansikten, och bli Blanche 2 och Blanche 3 och Blanche 12, hon som bekräftade deras hemliga misstanke att inte bara denna kvinna, utan alla kvinnor, hade många ansikten. Och att det skrämmande som alla anat, det att något fanns utom deras kontroll! fullständigt utom kontroll! att detta skrämmande nu kanske skulle kunna tämjas, eller göras vetenskapligt begripligt.

Han hade så vacker röst.

Assistenten hade sedan rört vid den hysterogena punkten, men inte den på ryggen som Charcot sagt, utan den under hennes vänstra bröst. Det gjorde ingenting.

Hon var beredd, hon hade anträtt.

Hon skulle gå genom skogen som bestod av lövträd, hon skulle åter vara femton år, det skulle vara denna avgörande vår och sommar. Alltid på eftermiddagarna.

Lövträd.

Jag går nu, nu går jag, snart öppnar sig skogen, och hon skulle leta sig fram till flodens strand, och där skulle pojken vänta på henne och han skulle säga, när han såg henne komma fram genom träden, att *hon var en fjäril som rymt ifrån himlen,* för det var det finaste man kunde säga. Därför skulle han säga det.

Hon blundade och gick in i sin toniska fas och gick genom skog.

Än en gång hade hon lyckats fly. Skog. Vatten. Hon såg honom mellan träden, stannade upp, det var som det borde vara. Det var helt rätt. Han stod barbent några meter ut, hade kavlat upp byxorna till knäna, hade ryggen vänd mot henne och såg ner i det strömmande vattnet. Hon gick ut ur strandskogen. Stranden var tom på människor. De var ensamma, det var som det borde vara. Klockan var 15.12, Blanche 2 befann sig i en experimentsituation på Salpêtrièresjukhuset, och kallades Witt, dock var hon en fjäril som rymt ifrån himlen, nu var klockan 15.17 och hon ropade till pojken, som vände sig om och log.

Hon hade kommit i rätt tid. Han var en pojke som nästan var en man och han log mot henne. 15.18.

Den första gången de träffats i byn hade hon tyckt att han var så behändig, och han hade skrattat så fint och sagt att han skulle skriva en dikt till henne, och en dag på våren hade han kommit med sin dikt. Skriven på en papperslapp, på baksidan av en minneslapp han skulle ha med sig till affären, och den började så fint. Hon skulle alltid minnas första versen:

Du är som en fjäril som rymt ifrån himlen,
haft tråkigt där uppe,
vill leka med mig. Du fladdrar emot mig
och är lite rädd.
Fast jag vet vem du är. Guds fjäril,
förklädd.

Guds fjäril, förklädd. Det var Blanche. Det var något som man kunde leva på i ett helt liv, hade hon tänkt långt senare.

Sedan hade hon flera gånger hört honom säga det, att hon var en från himlen förrymd fjäril. Och att hon var förklädd. Ordet förklädd var så fint. Det betydde att hon kunde gömma sig, inne i sig själv. Sedan hade de börjat träffas nere vid stranden. Han brukade komma först, och han väntade på henne. Det var så stort och rent, men framför allt rent. Därför hade hon börjat gå tillbaka till honom när vilddjuren samlades på Salpêtrière och såg på henne innan de kastade sig över henne med ögonen. Det var nu.

Lövverk. Vatten. 15.22.

Hon gick genom lövverket, och trädde ut på stranden och visste att hon var en fjäril, förklädd. Hon hade sagt till pojken, som snart var vuxen, liksom hon, att han nästan inte fick röra vid henne, för man måste vara försiktig med en fjäril. Därför hade det blivit så fint och rent. Det var viktigt att det var rent. Nu hade hon gått genom skog och lövverk och fram till flodens strand och ropat på honom. Han vände sig om, och gick emot henne där hon väntade på stranden.

15.24. Hon satte sig ner, i gräset vid flodens strand.

Han var brunbränd och hon visste att hans hud var mjuk och att hon kunde lita på honom, och att det var förutsättningen. *Denna patient var för bara en minut sedan, som ni kunde observera, helt stel, stelheten inträffade mycket snabbt vilket är ovanligt, och ni bör inte dra förhastade slutsatser eftersom varje patient har sitt individuella mönster – att en slutfas inträffar som påminner om delirium är alltså ovanligt, men fullt möjligt, det är inte de traditionella mönstren som är de vanliga, utan de ovanliga, och därför måste* och pojken stod ett ögonblick alldeles stilla framför henne och såg på henne. Hans överkropp var bar, han var brunbränd, hon visste att han var femton år, liksom hon själv, men i sitt inre kallade hon honom pojken.

Det var samma sak varje gång. 15.26.

Hon gick genom lövverk och såg vattnet, sedan kom hon fram till flodens strand och han stod ute i vattnet, vände sig om, log, och gick emot henne.

De låg intill varandra i gräset.

Mycket försiktigt knäppte han upp hennes blus, vek ihop den och placerade den intill henne. Han rörde vid hennes bröst med baksidan av sin hand. Samma sak gällde hela tiden vid deras möten, han fick smeka henne, hon fick smeka honom, det var allt. Och det var också allt, visste hon, det allra högsta och renaste, ingenting kunde nå högre. Det skulle alltid vara eftermiddag, och sned sol. Solen skulle komma in genom lövverket och inte vara brännande utan full av skuggor och skulle omslingra dem vid flodens strand. Han hade inget namn. Rör mig, säger hon, men inte mer. Du får inte göra allt, men det räcker.

15.38. Det händer just nu. Som det måste hända.

Försiktigt; pojkens hand glider över hennes bröst och hon rör handen över hans rygg och det är skönt. När solen sjunker kan man höra ljudet av vatten mot strandstenar. Det är som om en glaskupa vore välvd över dem, och han säger du får göra vad du vill. Då gör hon det, hon smeker med sin hand där hon vill smeka, är det skönt, säger hon. Ja, säger han, en gång ska vi göra allting, ska vi inte?

Hon svarar inte. Hon har gått genom skog och genom lövverk, tveklöst som en fjäril, förrymd men medveten om sitt mål. Hon är fullständigt trygg och hon känner att hennes sköte är varmt, och att det inte finns någon som helst rädsla i denna värme. Vi gör vad vi vill, och en dag, säger hon, en dag ska vi göra allting. Hon rör vid honom, och nu ligger han helt naken intill henne och han knyter sig samman som i kramp och sedan ligger han stilla och ser rakt upp i himlen. Det är därifrån du har rymt, säger han, vad vill du att jag ska göra. Du ska göra, säger hon, det man får göra med en fjäril som rymt ifrån himlen, har haft lite tråkigt, och vill leka med dig. Och är lite rädd, säger han.

Men jag ser vem du är. En Guds fjäril, förklädd.

Ja, säger hon. Försiktigt. Försiktigt.

Det är nästan skymning och det är fint och hon vill aldrig vakna, *låt oss än en gång utöva press mot några av de hysterogena punkterna. Vi kan avvakta med ovariepressen. Som ni ser, min assistent utövar ett bestämt men ej smärtande tryck mot punkter i ovarieregionen. Notera uttrycket av smärta som plötsligt, och helt utan fysiologisk anledning, framträder. Patienter kan ofta komma med exklamationer av typ* Mamma, jag är rädd! *Notera det känslomässiga utbrottet, se här en* arc, *om vi tillät detta att fortsätta så kunde skador uppstå, notera nu ett plötsligt lugn, nästan beslutsamhet, det statiska kontraherade stadiet nu i upplösning.*

Solen var borta, skymning. Vilket egendomligt mörker. Hon såg inte längre stranden på andra sidan floden. Pojken var borta och skymningen föll snabbt, mörkret rann in från öster, och det var lite kyligt.

17.03. Hon måste hitta vägen tillbaka genom skogen.

Hur var den vers som han skrev, den om en fjäril i flykt? Det måste bli normalt igen, vad var det han skrev i sin dikt? Vägen genom skogen: så lätt att hitta till flodens strand, och så svårt att återvända! Som en fjäril som rymt ifrån himlen. Vill leka. Är rädd? Hon hade varit innesluten av pojken vid flodens strand. Nu snart åter inne i den skräckslagna skogen.

Inget lövverk, endast djungel.

Alla vilddjuren hade betraktat henne, i tystnad. Pojken hade sett vem hon var, och sagt det. Guds fjäril, förklädd.

Nu gällde det Marie.

Det var en övermänsklig svårighet, hon måste få det att hänga samman. Hon visste att hon skulle klara det.

VII

Sången om vilddjuren

1.

Det fanns träd utanför fönstren i Maries våning i Paris.

Blanche sov allt sämre, det gjorde ont, smärtan kom oftast före gryningen, men då kunde hon se ut genom fönstret, kunde se ljuset komma, stammar avtecknade sig, sedan skuggor som kanske var löv, sedan verkligen löv. Det var som vägen till flodens strand. Då hon var nästan framme var det som bäst, som i förr. Den unge pojken skulle då stå i vattnet, hans överkropp bar och brunbränd, han skulle vända sig mot henne och då skulle hon se att hans ansikte var Charcots, och att hon vetat det hela tiden.

När hon skrev ner vissa slutsatser om detta var det textat och tydligt. Då var orden nästan fyrkantiga, ingen tvekan, som om hon slagit fast något, men förut inte vågat. Eller som nödrop. *Hur överlever vi kärleken. Hur skulle vi kunna leva utan kärleken.* Det var något hon borde berätta för Marie. Det visste hon nästan helt säkert, men först måste hon själv förstå.

Jag viker aldrig från din sida. Den där känslan att en *människa utan välgörare* alltid har levt under en glaskupa, förtvivlat har krafsat mot glaset med naglarna, inte kommit ut. Och så plötsligt fanns någon där.

Och någon viskade *jag viker aldrig från din sida.*

Marie hade frågat varför Blanche ibland trodde sig ha dödat Charcot. Därför, hade hon svarat, att när jag följde med honom ut från träden. Och mötte honom vid flodens strand. Och när han förstod att jag älskade honom. Då orkade han inte kämpa mot mörkret. Delar man sitt mörker med den man älskar uppstår ibland ett ljus som är så starkt att det dödar.

Du borde veta, Marie! Du har ju sett detta dödliga blå ljus!

Är detta verkligen kärlek, hade Marie frågat.

2.

Två gånger skriver Blanche i Frågeboken om *vändpunkten.* Andra gången har hon förstått.

Då är hennes inledande fråga **När fick jag förklaringen till Maries sammanbrott?** (första gången är ordet det tafatta ”dilemma”). Det handlar om stölden av L'Arcouest-brevet. Blanche hade väl till sist förstått konsekvenserna.

I övrigt samma beskrivning av den förfärliga natten.

Marie kom instörtande i mitt rum, kastade sig på knä intill min trälåda, hennes ansikte var likblekt och håret i oordning, hon uttryckte den största förtvivlan och uppgivenhet men med det stränga och tillslutna ansiktsuttryck som fick mig att önska att hon skulle gråta, fast hon sade sig inte kunna. Det hade skett ett inbrott i Maries och Pauls gemensamma lya, någon hade stulit de brev som Marie skrivit till Paul. Bland dem, det var det värsta, fanns också det långa brev som hon skrivit från L'Arcouest i augusti 1910. Jag frågade varför just detta brev innebar en så stor fara, hon svarade: det borde inte ha skrivits. Varför skrev du då, frågade jag, det var kärleken, svarade hon.

Alla tycktes veta, men det hade inte varit offentligt.

Så blev det offentligt.

Den 3 november 1911 avslutades Solvay-konferensen. Marie och Paul hade båda deltagit, Marie hade råkat i häftig konflikt med Rutherford om det betastrålealstrade sönderfallets beskaffenhet, Einstein skrev i ett brev till Heinrich Zangger att han under konferensen umgåtts intensivt med Marie och Paul, "de är verkligen förtjusande människor, Madame Curie lovade till och med att komma och hälsa på mig med sina döttrar". Einstein beskriver också sin stora uppskattning av Maries "lidelse och gnistrande intelligens" – men dagen efter konferensens avslutning, den 4 november 1911, går Maries liv sönder, och hon ska i fortsättningen aldrig mer kunna ägna sig åt forskning.

Det är tidningen Le Journal som, på sin första sida, som huvudnyhet har att Marie Skłodowska Curie slagit sönder en gift mans äktenskap. Det är bild på henne. Rubriken är: "En kärlekshistoria: Madame Curie och professor Langevin". Artikeln inleds med orden *"Radi-*

umglöden med sitt gåtfulla blå sken har nu tänt eld i hjärtat på en av de vetenskapsmän som så intensivt studerar dess aktivitet, medan samme vetenskapsmans hustru och barn gråter uppgivet."

Det gåtfulla blå skenet. Marie, Marie, nu bär det av.

Om man befinner sig så högt, blir fallet djupt och hårt.

Och ett fall var det, det tycktes alla vara eniga om. Även Marie, som hade fallit in i kärlekens brinnande krater och plötsligt känt smärtan. Som var orättvis! orättvis! hon hade ju bara älskat!

Men det var ju barnen. Vad skulle inte barnen få utstå! Flickorna, skolan, detta hon inte kunde kontrollera, och som drabbade barnen!

Barnen!

Det fanns inte en tidning som inte skummade av raseri. Le Petit Journal menade att det åter var nödvändigt att ta upp den, för dem, förlorade Dreyfusdebatten: Marie var ju med säkerhet judinna och sambandet, om än avlägset, var uppenbart. Det var en jude och utlänning som nu hotade *den franska familjen* inifrån. Åter igen detsamma! som inom armén! som inom politiken!

Man intervjuade, stort uppslaget, den i tårar upplösta Jeanne Langevin, som *var blygsam och avskydde publicitet*, men som sände fram sin mor. Denna gav en ingående analys av äktenskapsförbryterskan Marie Skłodowska Curie, som var polska, okvinnlig, och endast brydde sig om böcker, laboratoriet, och äran.

De anständiga tidningarna tog samfällt avstånd från

Marie, detta var den 6 november. Den 7 november 1911, nu ligger allt mycket tätt, skickade nyhetsbyrån Reuters ut ett telegram som meddelade att Marie Curie tilldelats 1911 års nobelpris i kemi.

Det var första gången någon tilldelats nobelpriset två gånger. Inte ett ord om utnämningen i den franska pressen. Skammen! Skammen att en osedlig kvinna krossat en fransk familj, och skammen också för Frankrike att en "fransk" forskare under dessa vidriga omständigheter blivit tilldelad ett nobelpris!

Som det därför var bäst att tiga om.

Jag måste fly, hade hon denna natt sagt till Blanche. Jag måste försvinna med barnen. Man har slitit kläderna från min kropp, jag står naken inför alla, skammen!

– Jag vet hur du känner det, hade Blanche svarat.

– Vad vet du?

– Marie, hade då Blanche sagt, du befinner dig nu i en situation jag väl känner. De vilda djuren betraktar dig. Deras lystna ögon säger dig att de snart önskar angripa, och slita dig i stycken. Men du har fel. De önskar inte döda dig. Deras lust är liderlig, inte dödlig. De betraktar din kropp eftersom de åstundar den.

Hon hade inte förstått, och Blanche hade inte kunnat förklara. Föreställ dig, hade hon sagt, att du går genom skog, och att snart en glänta öppnar sig, och du ser.

– Och då? hade Marie frågat. Vad ser jag?

– Vatten. En flod. Där står den du älskar, och då är du inte ensam längre, och han ska aldrig vika från din sida.

Fast det skulle han.

Paul Langevins vänner blev uppkallade till polisprefekten Louis Lepine. Det var den 9 november 1911, två dagar efter meddelandet om nobelpriset till Marie Curie.

Vännerna var Jean Perrin och Émile Borel.

Polisprefekten hade ett anbud att lämna. Om Paul Langevin ovillkorligt avsade sig vårdnaden om barnen, och tillerkände hustrun ett underhåll på ett tusen (1 000:–) franc per månad kunde skandalen undvikas och breven, särskilt Maries långa brev som skulle *tillintetgöra hennes möjligheter att bedriva forskning inom sitt vetenskapliga fält,* förbli opublicerade.

Man återvände från mötet med polisprefekten Lepine och framlade förslaget för Marie och Paul. Marie förklarade att detta fick bli Pauls beslut. Och att hon gav honom fria händer. Paul förklarade då att förslaget var oantagligt.

Det betydde krig.

I praktiken innebar detta också slutet på Maries vetenskapliga karriär. Kort därpå publicerades nämligen, och på grund av detta, i L'Œuvre en nio sidor lång bilaga som innehöll Maries samtliga kärleksbrev till Paul, och, in extenso, det långa brev hon skrivit till Paul i augusti 1910 från L'Arcouest. Det var brevet med de kyliga anvisningarna hur han skulle bli fri, de rasande utbrotten av hat mot hustrun, det var brevet som aldrig borde ha skrivits, men framför allt aldrig borde ha publicerats. Och allt citerades. *"Med vetenskapligt raffinemang beskriver hon olika uppfinningsrika tillvägagångssätt för att plåga den stackars hustrun så att hon blir desperat och tvingar fram en brytning."* Allt, allt, drogs fram.

Det blev så smutsigt, åh Marie så smutsigt det blev.

Och så var allt, allt, ute.

3.

Man återfann senare Marie i Sceaux.

Flickorna hade kommit hem från skolan. Någon hade visat dottern Irène en tidning där hennes mor förekom. Ett par välmenande kamrater hade läst upp en bit och förklarat att tidningarna skrev detta för att hennes mor var hora. Flickan hade då inte velat lyssna längre utan i hast begett sig hem. Ingen hade varit hemma utom Blanche.

Irène hade krupit ner i Blanches säng vid fotändan, sagt sig vara trött och velat sova. Hon kunde dock inte somna på grund av darrningar i hennes kropp, sedan hade hon hjälpt Blanche ner i den mobila trälådan och kört denna runt runt i rummet medan hon "berättat".

Flickan hade berättat, alltså skrikit okontrollerat.

Blanche hade bett henne upphöra med att köra henne runt runt, men hon tycktes ej förstå, utan hade fortsatt. Sedan hade Marie kommit hem, slitit till sig dottern som fortfarande skrikit högt, som i sorg eller förtvivlan, och börjat klä på henne i hast. Blanche hade vid detta tillfälle försökt att ensam ta sig upp ur trälådan, för att hindra Marie att fly, men fallit, och rullat runt på golvet.

Det var början på avfärden till den lilla franska staden Sceaux.

Plötsligt hade Blanche befunnit sig ensam i lägenheten.

Hon hade nedtecknat vissa observationer i Frågeboken, denna gång med de otydliga skrivtecknen, ej textade bokstäver.

Hon hade med viss möda förflyttat sig över golvet *utan hjälp av min transportlåda*, lyckats ta sig in i köket samma kväll och tillagat en lättare måltid, men framför allt säger hon sig vara orolig för Marie och de två barnen.

Det var barnen, skriver hon gång på gång. Inga kommentarer om Paul, frånsett en obalanserad tirad.

Hon ser ut genom fönstret, upptäcker *denna grupp av människor som bevakade den utpekade horans bostad. Denna grupp tätnade långsamt till en människohop, vilket påminde mig om de dagar på Salpêtrière när offentligheten tycktes betrakta mig som vore hopen ett lystet och blodtörstigt rovdjur, men när jag efter Maries flykt, efter återkomsten, föredragit denna nästan poetiska liknelse för Marie, detta som tröst, hade hon funnit föga lindring, och ständigt upprepat att detta gått ut över de oskyldiga små, och att jag, Blanche, trots allt varit ensam i min förnedring, ej haft ansvar för barn. Jag hade då intet att genmäla.*

Marie hade flytt med barnen till Sceaux. En vecka senare kom de tillbaka till Paris, och till Blanche. Vad hade hänt?

Fragmentariska anteckningar i Frågeboken.

Man får rekonstruera.

4.

Fallet så stort, skammen så djup, ett långt livs anseende förintat, och hon var absolut, helt igenom hjälplös.

Varför måste det vara så här, hade hon tänkt.

Hon kände skam och samtidigt var det orättvist, för varför måste hon skämmas för kärleken? Sceaux var en död stad, hade hon tänkt, som låg den på Grönland. Kanske som Nome, nej inte Nome! det var något annat och utan smärta! Nome skulle vara ordet för en njutning och en lidelse som dolde sig. Allting runt om förintat! och ingen historia! och ingen framtid! nej en annan plats.

Som i en skog i Polen, en hydda i en glänta i en polsk skog.

I Sceaux hade hon ännu kvar det hus Pierres far bott i.

Det stod nästan alltid tomt: nu i november låg en ton av sorg över de tomma rummen, av möglig kyla, övergivet sekelskifte, trägolv som en gång varit renskurade, vita tyllgardiner *med malhål som ett sönderätet anseen-*

de, som hon plötsligt tänkte i en nästan poetisk bild. Hon hade på kvällen, sent, anlänt med flickorna: en förfärlig resa, Marie vit i ansiktet och flickorna stumma.

Vad skulle de också säga.

Hon hade lagt flickorna till sängs och besvurit dem att lugnt falla i sömn, vilket de också kärleksfullt accepterat inför moderns enträgna propå. Så hade hon uppsökt graven.

Hon hade gått raka vägen till kyrkogården.

5.

Det var sen kväll, gatorna var tomma, och hon var nästan säker på att ryktesstormen inte nått till lilla Sceaux.

Här kunde hon vila ut.

Det måste finnas någon utväg också för en som blivit så totalt ensam, *är det ingen som kan förbarma sig över kvinnan! ser ni inte! Upp mot huset genom snön?* Tog man det svindlande steget in i den stora ensamheten måste det till sist finnas nåd också för henne.

Att skammen kunde vara så tung, när hon trott att hon bara hade älskat.

Varför måste det bli så fult!

Det var som om kärleken först varit svindlande och varm och nästan brännande, men sedan hade det som varit magma och hett blivit svart och groteskt och stelnat och förvandlats till skamfylld lava. Och barnen. Hur kunde hon förklara för dem. Fanns det ingen liten by i Polen där hon kunde dölja sig. Och så var det hatet.

Hon kände ett så intensivt hat att hon inte kunde andas. Inte deras hat. Hennes eget! Hon blev så ful av hatet! Ful!

Det var inte rättvist.

Det hade gått så fort, hon hade varit så lycklig, och så oförsiktigt förälskad, så helt igenom ovetenskapligt förälskad. Men att hon hade gjort det så lätt för dem!

Hon började tänka på dem som Blanche brukade tänka.

Som vilddjur.

Kyrkogården låg i kompakt mörker, men hon visste vägen.

Här hade Pierre begravts fem år tidigare, här hade Pierres far begravts för bara ett och ett halvt år sen. Mörkret var kyligt och det regnade lätt, hon letade en stund, det var svårt, grusgångarna hade blivit leriga, inget gräs.

Så fann hon graven.

Stenen hade färdigställts helt nyligen, Pierres namn stod där, och hans fars. Hon föll på knä, utan att tänka sig för, kände leran iskall mot sina knän. Det var förnedrande, hon ville resa sig upp men gjorde det inte. Det var trots allt mörkt, ingen kunde se henne i denna löjliga situation. Detta löjliga fick bli straffet. Hon hade väl skuld. Meningslöst att försöka icke känna skuld.

Graven var smal, plötsligt insåg hon med nästan chockartad sorg att kistorna ställts på varandra, att Pierres kista stod underst, att faderns placerats över honom, och att hon själv, om hon tilläts vila där, *om hon tilläts vila där!* inte skulle få platsen närmast Pierre Curie. Det var nästan obscent, hon kände illamåendet välla upp, det var orimligt, det fick inte vara så.

Hon var avstängd också från Pierre.

Det var inget fel på hennes svärfar. Hon hade tyckt om honom. Men nu insåg hon att hon, också där, hade uteståangts. Han hade dött i mars 1910, innan alltsammans brakade lös, nu var han placerad som ett tak över hennes älskade Pierre.

Döden bestraffade henne, också döden betraktade henne som en synderska.

Hon mådde illa. Hon försökte med all kraft behärska sitt illamående, men lyckades inte, hon kastade upp, vände på huvudet så att det uppkastade skulle hamna bredvid, inte på Pierres grav. Det var mest gult slem, hon hade ju inte kunnat äta något det senaste dygnet. Hon försökte urskilja texten på graven, men det gick nästan inte i mörkret. Här skulle hon kanske få vila. Vad skulle det stå där? Horan Marie, föraktad av det franska folket, en skam för sina barn. Det var så här det skulle ta slut, längst ner Pierres kista, och ovan den faderns, de riktiga Curies, och ovan dem den polska kvinnans. Men inte ens i den slutliga närhetens omfamning. Vad var det Blanche en gång sagt om kärleken? Det var en mening som skulle förklara allt. Inte om hur det var, men om hur det borde vara.

Jo, nu mindes hon. *Jag viker aldrig från din sida.*

Och här stod hon på knä i mörkret på gravplatsen i

Sceaux och kräktes och visste att så skulle det aldrig ske. En annan främmande kropp, en gammal mans kropp, täckte hennes älskade, så att hon aldrig skulle kunna vila vid hans sida. Och det var straffet för synderskan. Hon kände att hon skakade i hela kroppen, det regnade hårdare nu. Hon viskade *Pierre Pierre Pierre* med låg röst, men han kom inte till hennes hjälp, han teg. Ingen Välgörare. Inte ens Blanche att gråta hos. Hon var absolut och fullständigt övergiven, hon stod på knä i leran på en svart kyrkogård i en fientlig värld som aldrig skulle förlåta henne, hennes älskade Pierre var död, hon skulle inte kunna vila vid hans sida, Blanche kunde inte ge henne tröst och vägledning, Marie var ensam till sist, Paul hade inte hört av sig, *hade hon vikit från hans sida*, också han var krossad men han skulle återuppstå, skadad men inte förintad, men för henne var det slut. Fallet var fullbordat, från den högsta höjden ned i havsens djupaste mörker.

Om hon bara fått dö, men det var ju barnen.

Hon frös så att hon inte kunde tänka. Gravstenen tycktes bred och hotfull, inte beskyddande, ännu inga signaler, ännu inga meddelanden från Pierre. Varför skulle han svara henne? Han kanske visste vad som hänt.

Hon måste återvända.

Amor Omnia Vincit, brukade Blanche säga till henne. Regnet tilltog. Hon reste sig, hon gick, hon sprang småhukande med korta korta steg hem mot det som kanske inte kunde bli värre. Detta var den nedersta punkten, tänkte hon med ett slags hopp.

Men hon kunde inte vara säker.

Hon kom, en timma efter midnatt, tillbaka till de äntligen barmhärtigt sovande barnen.

6.

Hon vaknade vid tiotiden av att en ruta krossades; någon hade kastat en sten in genom fönstret.

Rop. Hon förstod vad de ropade, det var som förut, *den utländska horan*. Hon skyndade sig att fösa in barnen i köket, vars fönster inte vette mot gatan, gav dem mat, och sopade upp glassplittret.

Hon fick fram ett telefonmeddelande.

Vid tretiden kom Marguerite Borel – som senare i sin memoarbok skulle erinra sig att hon ”skakade av harm” – och André Debierne från Paris för att rädda Marie och barnen ut från Sceaux; de hade nåtts av nödropet från en desperat Marie som var rädd för barnens liv. Folk hade samlats utanför huset och ropat ”Ut med horan” eller ”Ut med utländskan som stjäl gifta män”.

Mycket riktigt, huset var praktiskt taget belägrat, men ingen hade ännu försökt tränga in i huset. Det hördes enstaka smädelser när de två vännerna kom, men klungorna vek undan för vagnen. De kom in. Marie satt i köket, med barnen på var sin sida om henne. De höll henne i handen. Marie var askgrå i ansiktet och föreföll plötsligt mycket gammal, hennes klänning var nersmutsad, det såg ut som torkad lera.

Marguerite erinrade sig att Marie för tio dagar sedan hade tilldelats nobelpriset i kemi, men ville intet säga.

Du måste bort, hade de bara sagt till henne. Hon svarade inte, men lydde.

De lyckades utan incidenter bryta sig igenom belägrarna, som snarare i tyst avsky betraktade polskans flykt. I vagnen tillbaka till Paris satt Marie stel, som en stenstod, med huvudet envist vänt mot fönstret och det förbipasserande landskapet. Man försäkrade henne att hon och barnen nu skulle få skydd hos paret Borel, i deras lägenhet.

De kom fram. Tigande, vit i ansiktet och med stel värdighet, gick hon över gården och in i sitt nya fängelse.

Tre dagar senare uppsökte hon, sent på kvällen och i skydd av mörkret, sin egen lägenhet för att få veta hur det gått för Blanche.

Jag har ångestfullt väntat, var det första Blanche sagt, eftersom jag var ifrån mig av oro för dig Marie. Mig själv fattas intet.

Mat hade hon haft.

De grät länge tillsammans; Marie hade lyft upp Blanche och suttit med henne i famnen, som vore Blanche en bortsprungen hund som återfunnits, och vars värme kunnat ge tröst.

Det fanns en del att berätta.

Det gick ett rykte att Paul blivit inblandad i en duell med en journalist; man hade skjutit i luften och det hela hade varit löjeväckande, men båda duellanternas ära var återställd. Skolministern hade tillkallat Émile Borel, som var lärare vid École normale, och gett honom en reprimand för att han upplåtit sin bostad, som låg i ett annex intill skolan, åt en person som var en skam för denna skola. Ministern hade varit utomordentligt upprörd, krävt att Borel skulle kasta ut Marie från sin lägenhet och hotat honom med degradering; Borel hade dock enständigt vägrat att förvisa Marie. Också Marguerite Borels far hade intervenerat och krävt att dottern skulle göra sig kvitt denna skandal: "Skandaler smetar av sig som olja"; men även Marguerite hade vägrat. Man visste dock, hade fadern sagt, att ministerrådet inom några dagar skulle ta upp fallet, och att förslag fanns att uppmana Marie Skłodowska att lämna landet. Marie kunde säkert få en lärartjänst, eventuellt en professur, i Polen. Efter ett långt gräl hade fadern i ursinne slängt sin ena sko i dörren.

Ingenting var rent, allt var löjligt.

Marie hade vaggat Blanche i famnen. Så hade de suttit hela natten. När gryningen kom hade Blanche somnat, och Marie hade lagt henne i sängen; Blanche var ju så lätt, som ett barn.

Så hade hon börjat gå igenom posten.

Där fanns ett brev från Sverige, från Svante Arrhenius, styrelsemedlem i Kungliga Vetenskapsakademien, den som för några veckor sedan hade tillerkänt henne nobelpriset i kemi, hennes andra nobelpris, nu dock tilldelat henne ensam.

Brevet var kyligt i tonen, till skillnad från tidigare korrespondens.

"Ett brev som tillskrives er har publicerats i en fransk dagstidning och kopior valsar runt även här. Av den anledningen har jag rådfrågat mina kollegor om hur man bör agera i den uppkomna situationen. Allt ger intrycket, felaktigt får jag hoppas, att den publicerade brevväxlingen inte är en ren fabrikation.

Samtliga kollegor svarade att det vore önskvärt att ni inte infann er här den 10 december. Jag ber er därför att förbli i Frankrike, ingen kan med säkerhet veta vad som kan inträffa under prisutdelningen.

Om akademien hade trott att brevet i fråga kunde vara autentiskt skulle den – med all sannolikhet – inte ha tilldelat er priset förrän ni hade presenterat en trovärdig försäkran att brevet var ett falsifikat.

Det är därför min förhoppning att ni telegraferar ständige sekreteraren C. Aurivillius eller mig att ni är förhindrad att komma, och att ni därefter skriver ett brev och talar om att ni inte vill ta emot priset förrän det har kunnat bevisas att anklagelserna mot er är fullständigt grundlösa."

Svenskarna ville inte heller ha henne.

Dit hade det nått. Dit hade det gått.

Hon hade väckt Blanche, och läst upp brevet i sin helhet med mycket klar, nästan barnslig stämma.

De vill inte ha mig längre, hade hon sedan sagt efter en lång paus. *Svenskarna vill inte ha mig. De vill att jag frivilligt avsäger mig priset, i skam.*

– Och vad tänker du göra, hade Blanche frågat.

Marie hade inte svarat, endast gått ut i köket och tilllagat en lättare frukost åt dem på vad som fanns att äta. Sedan hade Blanche länge talat till henne, och enligt hennes egna ord i Frågeboken på ett nästan okontrollerat, och i varje fall otryckbart sätt, kommenterat dessa *svenska horkarlar och arslen* i Kungliga Vetenskapsakademien som haft mage att kritisera hennes vän.

– Jag har ingenting att förebrå mig, hade Marie då viskat, nästan ohörbart, som på försök, som för att pröva om orden höll.

Jag har ingenting att förebrå mig.

– Skriv då detta som svar, hade Blanche genmält. Och så hade Marie gjort, i ett brev till akademiledamoten Gösta Mittag-Leffler, där hon påpekade att priset utdelats till henne för upptäckten av radium och polonium, och att hon avsåg att ta emot detta pris, och på förut avtalad plats, just den 10 december detta nådens år 1911.

Så hade också skett.

Hon anlände till Stockholm på morgonen den 10 december i grått duggregn och mottog på kvällen samma dag priset ur Gustav V:s hand. Hon rörde sig vid ceremonin med en stel och skräckslagen värdighet, man noterade att hennes ansikte var grått och att hon tycktes utmattad och sjuk. Hon var, enligt Svenska Dagbladet, klädd ”i sin, man är frestad att säga, utstuderat enkla svarta dräkt utan någon som helst prydnad". Ingen lera. När hon mottagit priset "antogo applåderna karaktär av ovation". Hon hade, enligt Dagens Nyheter, tackat konungen med "en föga hofmässig bugning".

Hon hade bitit ihop, *och utan att en sekund låta mig påverkas av viskningar eller antydningar.*

Tidningarna teg, om de ens visste. Hon tillät endast en intervju, satt då hand i hand med sin dotter Irène, som följt med till Stockholm. Det var på Grand Hôtel. Tidningarna hade bemött henne som en drottning. Hon hade gång på gång sagt sig vara sjuk och utmattad, därför endast en intervju. Samma dag priset utdelades, den 10 december, inflöt i Dagens Nyheter en helsidesrapport om den engelska situationen, alltså kampen för kvinnlig rösträtt, särskilt den så kallade suffragettstriden den 21 november, skriven av en journalist Elin Wägner. Det hade varit blodigt. Ställd inför denna aktuella fråga hade Marie svarat att hon "naturligtvis var feminist", men tyvärr ej, på grund av sin forskning, haft tid att ägna sig åt politisk kamp. Dottern beskrevs som söt och deltagande. Alla hade varit oroliga för Maries hälsa, hon skildras som bräcklig, en gång hade ett leende gått över hennes ansikte, det hade varit magiskt. Mittag-Leffler hade hyllningstalat, oansträngt. I sin nobelföreläsning gjorde Marie en översikt över radioaktivitetens femtonåriga historia. Hon hyllade sin make Pierre, men markerade också att hennes forskningsresultat var hennes, och att priset tilldelats henne just för dem.

I tidningarna ingen antydan om stormen i Paris. En afton är Marie hedersgäst vid en middag för trehundra kvinnor engagerade i rösträttskampen; Marie har trots allt tilldelats två av de fyra nobelpris som dittills gått till kvinnor, de andra är Bertha von Suttner och Selma Lagerlöf. Hon omsluts i tre timmar av deras värme, *kunde jag bara kvardröja i detta från skam befriade tillstånd.*

Så återvände hon till Paris, och nästan omedelbart blev hon sjuk. Den korta vinterveckan i Stockholm hade varit befriande kall och ren, men renheten var inte avsedd för henne. Den fanns bara ett kort ögonblick av tillkämpad styrka, *jag gör motstånd* en vintervecka i Stockholm, *ställ dig på dina ben och gå*, och med nästan ofattbar styrka hade hon verkligen ställt sig på sina ben, och gått. Men ingenting, absolut ingenting var förändrat i det helvete som hon nu skulle återvända till, och där den ångestfullt väntande Blanche, torson i sin trälåda, var den enda som kunde ge tröst, eftersom hon kanske fått del av kärlekens hemlighet, om det fanns någon, men det fanns det kanske, kanske, å om det bara fanns.

7.

Hon anträdde i december 1911 flykten, den skulle vara i nästan tre år.

Den 29 december intogs hon på ett sjukhem, man diagnostiserade ett antal strålningssår kring livmodern, njurarna och urinledaren, de betecknades som gamla och i de flesta fall läkta. I januari var hon mycket svag och skrev sitt testamente, där hon fördelade placeringen av det radium som var i hennes ägo. Hon förlorade i vikt, och opererades i mars av en doktor Charles Walther, som avlägsnade de smärtsamma och besvärande lesionerna.

I brev till Blanche noterar hon humoristiskt att hennes egna amputeringar nu inletts, och förutspår att de båda ska sluta som mycket små miniatyrer i en gemensam trälåda.

Hon väger 51 kilo. Den franska pressen hade nu, trots hennes försök att dölja var hon befann sig, fått reda på hennes prekära läge, och antyder att hon befinner sig på sjukhus eftersom Paul Langevin gjort henne gravid och hon kanske, men ej helt säkert, företagit abort. Eventuellt med olycklig utgång. Eller att hon avser att föda i hemlighet.

Läkarna publicerar då en skarp dementi i Le Temps. Det gör ingen skillnad. Hon ser sig ingen utväg.

Sista veckan i mars avreser hon till en liten by vid namn Brunoy, under namnet madame Dłuska. Barnen hälsar på. Marie finner skammen outhärdlig att bära, men godtar den ej eftersom hon ännu hävdar sin rätt att älska. I juni forslas hon till Thonon-les-Bains, vid foten av de franska alperna, för att där vid de mineraliska källorna genomgå en hydroterapeutisk kur, vilket ansågs hjälpa mot pyelonefrit.

Var är den älskade?

Hennes äggledare värker dovt från två på morgonen

till eftermiddagen, då smärtan avtar något. Hon kallar sig madame Skłodowska, och besvär alla att hålla hennes tillflyktsort hemlig.

Marie, Marie, det tar aldrig slut.

I maj nås hon av ett brev från sin engelska väninna Hertha Ayrton, som ber henne fly till England. Hon beslutar sig för att resa. Hertha Ayrton är fysiker och suffragett, Marie säger sig vara en människa som ägnat sitt liv helt åt vetenskapen. Polen var hennes politiska värld, annars intet.

Plötsligt en stöt genom jordskorpan, en jordbävning? har något inträffat? därefter lugnt igen. Helt igenom lugnt.

Hertha hade varit förtvivlad för Maries skull. Du behöver skydd, och lugn och ro, hade hon skrivit.

Lugn och ro? Om den engelska rösträttskampen stod på höjden av sin våldsamhet, så fanns i London kanske ett stormens öga.

Hertha Ayrton var en internationellt berömd fysiker som gjort avgörande insatser inom fältet elektromagnetiska vågrörelser och vågfenomen i oscillerande vatten; under första världskriget fick hennes forskning också praktisk betydelse, då hennes uppfinning, *The Ayrton Fan,* bidrog till att förbättra avlägsnandet av invällande stridsgas i skyttegravarna. Hon var en av ledarna för den engelska suffragettrörelsen, som då befann sig mitt i den brutalaste fasen av kampen för kvinnlig rösträtt. Marie hade visserligen undertecknat ett upprop till stöd för de fängslade och hungerstrejkande suffragetterna i London, men nu var hon endast en skandaliserad flykting som ville dölja sin skam.

Hon reste till England för att få lugn och ro, hon hamnade i stormens mitt.

Blanche slutför dessa sommarmånader 1912 Den svarta boken.

Marie skriver också, hon skriver till Blanche, ett brev med de egendomliga orden *jag har nu ett utmärkt gömställe genom att jag befinner mig i en storm där allt är viktigare än Marie Curie.* Hon skriver det från Hertha Ayrtons våning som tjänstgjorde som tillflyktsstation för suffragetter som hungerstrejkat så länge i fängelset att de varit nära döden, och därför av politiska skäl frisläppts att äta upp sig, för att sedan åter kunna fängslas.

Jag tror inte de våga åter fängsla vår främsta ledare Mrs Pankhurst, skrev hon, *hon är utmärglad, nästan döende, och på ett strålande humör, ligger på en madrass tillsammans med tre andra kamrater i Herthas bibliotek. Detta är ett krig. Hertha göder upp dem, och när de återfått krafterna väntar nästa militanta aktion. De gå då ut i grupper på maximalt tolv personer, eftersom lagen är sådan att den ej tillåter större grupper. Denna grupp demonstrerar, på juridiskt tillåtet avstånd till den nästa, alltså med minst femtio meter till nästa grupp, och nästa, och nästa. Dessa kvinnor, ofta över sjuttio år och till fysiken fragila, bli trots detta miss-*

handlade med en sällsynt råhet av polisen, och fängslade. I fängelset protestera de på nytt med hungerstrejk, för att, innan döden inträder, av barmhärtiga politiker som ej önska att de skola dö i fängelset men gärna utanför, frisläppas. Sedan bringas de tillbaka till livet av sina kamrater.

Herthas dotter Barbara, en av de mest efterspanade, flydde denna vår till Frankrike maskerad med så långa och sedesamma kjolar att polisen ej kunde misstänka henne för att vara suffragett. Nu är hon dock fängslad igen. Alla här ha blivit svårt misshandlade av polisen, men äro vid gott mod. Två poliser stå vid ytterdörren, två vid dörren till baksidan. Man bär dessa kvinnor in och ut på bårar, mest dock in.

Ut kunna de gå själva, ånyo på väg till demonstrationen, fängelset och hungerstrejken.

En taxi står alltid posterad på gatan, ifall Mrs Pankhurst skulle komma på idén att klättra upp på taket och försöka fly: då skola poliserna jaga ikapp henne med taxi. Eftersom hon knappast kan gå är dock risken obetydlig.

Det sista halvårets händelser kännas overkliga. Jag tänker på dig, Blanche, varje dag. Hertha säger att jag måste gå upp i vikt. Hon anser sig ha lämnat sitt arbete som fysiker och numera endast ha sitt berättigande som uppgödare av döende kamrater, dit jag till min stora överraskning räknas. Hon planerar att ta mig bort från detta hus vid Norfolk Square till Highcliff, vid havet.

Ingen känner igen mig. George Eliot har bott här en

gång. Jag befinner mig i ett kaos. Jag har ej tänkt ordet "skam" på en vecka.

I orkanens öga ett stort, muntert lugn. Marie är förvirrad, säger hon i brev efter brev. Denna uttorkade och muntra Mrs Pankhurst! som Marie imatar välling med sked!

Var det så där roligt livet kunde vara?

De reste verkligen till havet. Hertha måste ha sett att Marie befann sig nära stupet. Marie som vanligt inkognito.

De reste till Highcliff i augusti, för att stanna där i två månader.

8.

Hon hade alltid älskat ensamheten vid havet.

Hon kunde gå länge utefter stranden, inte längre så svag som i våras efter operationen. Hon gick med mycket små steg så att smärtan i underlivet inte skulle återuppväckas; jag vacklar fram som en gammal gumma, tänkte hon, beskuren.

Hur länge sedan var det hon var kvinna? Hon mindes att hon låg naken på en säng i Paris och dörren öppnades och nyckeln rasslade, det var mörkt, ljusen från gatan slog in i taket, ett uppehåll på vägen till Nome, ingen rädsla, varför gick det fel? Hon låg intill honom och det fanns ingen morgondag, det där ordet! morgondag! vad var det för dikt han läste för henne? *Nu ligger vi alldeles stilla/ din skygghet har släppt sitt tag/ vi har glömt dem som gjorde oss illa/ och det finns ingen morgondag* – nej var det hon själv som läst? Hon hade glömt.

Det var första strofen av en polsk dikt. Det måste alltså ha varit hon själv.

Mörkt i rummet. Ingen morgondag. Just så hade det varit, de korta ögonblick när det var som bäst.

Var det bara två år sedan?

Hon hade varit en nästan ung nästan vacker kvinna och inte rädd för någonting, och hon hade gjort honom stark.

Och nu.

Hon hade ett par korta månader befunnit sig i ett kvinnokaos där nästan ingen känt till henne, och i varje fall ingen känt till skammen; och det var som om hon hade kunnat andas igen. Hon var inte ensam. Hon hade egentligen aldrig ställt sig frågan *vad är meningen med det hela*, det hade alltid varit självklart. Nu var det inte längre självklart.

Mrs Pankhurst hade *fnittrande lapat i sig välling*, vid dödens port! Marie kom inte över det.

Kanalkustens storm var inte inställsam och mjuk och vänlig, utan saklig, och ställde andra frågor, det var som det skulle vara. Det alltmer hårt fallande regnet slog smärtsamt in i hennes ansikte. Denna kust var inte inställsam. Hon tyckte om det. Stormen låg på, en sned regnstorm från öster, och hon gick med korta korta steg längs den steniga stranden och hon tänkte att här går en mycket gammal kvinna med små steg, men hon går.

Det är nästan ett underverk, hon går.

Den första septemberveckan var mycket vacker och stilla. Hon och Hertha hade suttit under kastanjen, och då hade Hertha sagt att hon inte var säker på att hon själv gjort rätt. Hon hade lämnat sin forskning för politiken, men kanske borde hon ha gjort som Marie.

Ägnat allt åt vetenskapen. Då hade hon kanske gjort större nytta.

Marie hade inte svarat. Det var absurt. Ett liv i forskningens tjänst! Och då tveka!

I slutet av september kom höststormarna tätt.

Hon sov bättre nu, smärtan hade dämpats, kom bara mellan klockan fyra och sex på morgnarna. Marie hade frågat hur det kom sig att Hertha hade blivit suffragett. Vad var själva startpunkten? det som utlöste? och då hade Hertha berättat om den gång hon var sjutton år och läst i Bibeln.

Gamla Testamentet – hon var judinna – och Esters bok.

Det var det första kapitlet. Där berättades om konung Ahasveros gästabud. Det var den Ahasveros som regerade från Indien ända till Etiopien, över etthundratjugosju hövdingadömen. Och han gjorde ett gästabud för alla sina furstar och tjänare, och gästabudet varade i etthundraåttio dagar. Samtidigt gjorde också Vasti, drottningen, ett gästabud för kvinnorna i konung Ahasveros kungliga palats. När då på den sjunde dagen konungens hjärta var glatt av vinet, befallde han Mehuman, Bisseta, Harebona, Bigeta, Abageta, Setar och Karkas, de sju hovmännen, att de skulle föra drottning Vasti, endast iförd kunglig krona, inför konungen, för att han skulle låta folken och furstarna se hennes skönhet, ty hon var fager att skåda.

Men drottning Vasti ville icke komma. Konungen blev då vred, och frågade de män som voro kunniga i lag och rätt vad han skulle göra. Och de svarade honom: ”Icke mot konungen allena har drottning Vasti gjort illa, utan mot alla furstar och alla folk i alla konung Ahasveros hövdingadömen. Ty vad drottningen har gjort skall komma ut bland alla kvinnor, och skall leda till att de förakta sina män, då de ju kunna säga: 'Konung Ahasveros befallde att man skulle föra drottning Vasti inför honom, men hon kom icke.'”

Och det var slutet för drottning Vasti.

Och Hertha, som hette Phoebe Sarah innan hon bytte namn till Hertha eftersom hon var judinna, hade tyckt det var så orättvist. Vasti var en förebild. Och Hertha hade blivit rasande.

Var det bara så? Var det så livet var? Att man stöttes till, som en biljardkula av en kö? Bara så?

Ja, bara så. Har du aldrig tillstötts, Marie? hade hon frågat.

Endast av det blå ljuset, hade hon svarat.

Madame Skłodowska, som hon nu kallade sig på tionde månaden av sin flykt, nåddes av ett brev från Blanche.

Hon läste det i ensamhet, vid stranden, och grät.

Den sista veckan i september reste hon tillbaka till Paris.

Hon hade en fråga att ställa till Blanche och visste att hon måste skynda sig, tiden var kort. Kanske skulle hon få ett svar.

Den 2 oktober gick hon in i Blanches rum. Blanche låg i trälådan. Man hade tagit väl hand om henne, men hon kunde inte hjälpa att hon grät.

Hon hade längtat så, och nu var Marie tillbaka.

Så kunde Marie denna natt ställa den viktiga fråga som i evigheters evigheter aldrig skulle få ett svar, men ändå måste ställas, och hon ställde den, och i Den röda boken hade Blanche lämnat ett svar, det var det enda svar hon kunde ge, det var därför historien måste berättas; att så var det, det var så det gick till, detta var hela historien.

DEN RÖDA BOKEN

VIII

Sången om det blå ljuset

1.
Alltmer uppfylld av ångest för Marie.

Hon frågade mig natten före flykten vad den *innersta hemligheten* med kärleken var. Den var ju så ful! Den var också så smärtsam: dessa korta ögonblick av svindel, och så all denna fulhet i kärlekens spår! Vad hade jag själv sagt till Charcot, frågade hon mig. Hade jag sagt något som fick honom att förstå?

– En gång när han gråtit, svarade jag då till min egen överraskning och utan att tänka mig för, hade jag sagt *jag viker aldrig från din sida.*

– Var det allt? frågade hon då.

Men det var ju allt.

Jag vet. Jag har nu ont om tid.

Jag skriver med min enda hand, men också denna ska snart tagas från mig. Marie frågar mig ofta om hon behöver känna skuld för denna sjukdom, om denna strålning från radium är orsaken; jag vill inte att hon ska känna skuld, och därför förbarma sig över mig. Jag vill att hon ska göra detta av kärlek till mig. Jag hänvisar därför till mina två år som assistent på Salpêtrières röntgenavdelning innan hon mötte mig. Vem kan veta om min avkortning har sin grund i professor Röntgen eller pechblände.

Hon är min enda vän. Funnes inte jag vore hon död, jag håller oss båda vid liv med mina amputerade berättelser om kärlek i det nya seklet.

Jag fruktar dock att jag inte längre kan förklara kärlekens natur. Inte heller kärleken mellan mig och Charcot. *Jag viker aldrig från din sida* – jag berättade inte sammanhanget för Marie, men jag minns situationen väl.

Det var första eller andra veckan i mars 1891. Charcot hade haft sitt första häftigt smärtande hjärtanfall. Det var på en middag, två och ett halvt år före hans död, Louis Pasteur hade för övrigt varit närvarande. Charcot hade plötsligt känt en häftig och smärtsam sammandragning i sin hjärtregion, och blivit likblek. Doktor Viguir hade rusat iväg till en viss professor Potain, som bodde endast ett kvarter bort: det var sent, denne hade öppnat iklädd nattskjorta, men genast klätt på sig. Efter en timme, och viss medicinsk behandling, hade smärtorna avtagit. Dagen efter uppsökte mig Charcot – jag befann mig då på tvättavdelningen på sjukhuset. Vi gick in i strykrummet, jag beordrade de två kvinnor som arbetade där att lämna rummet.

Hans budskap var mycket kort.

– Två och ett halvt år, sade han. Mer tid har jag inte. Och så hade han börjat gråta.

– *Jag viker aldrig från din sida,* hade jag då svarat.

Det var den gången han borde ha förstått. *Jag viker aldrig från din sida.* Men om kärlekens natur endast kan beskrivas på detta sätt, då är allt jag skrivit för att rädda Marie kanske i grunden meningslöst. Jag har förstått att jag aldrig kan komma längre.

Det är en lättnad. Men det gör mig ont om Marie.

Hon hade ju hoppats att, vägledd av mig, få allt att hänga samman, så att hon till sist kunde säga: *så var det, det var så det gick till, detta är hela historien.* Och jag tror hon hoppas fortfarande.

2.

Jag har inte mycket tid kvar nu.

Jag avstår från att i denna del av Frågeboken – den jag själv kallar Den röda boken eftersom den bär kärlekens röda färg – ställa en inledande fråga. Det har sin förklaring. Jag ville en gång skriva som vore historien ett samtal mellan två.

Men jag är ju ensam. Det är man.

Det som hände på resan till Morvan, detta som jag på Maries enträgna uppmaning berättade för henne när hon återvände från England och icke visste sig någon levandes råd, det är alltför smärtsamt, och samtidigt fyllt av glädje.

Men jag har ont om tid.

Många har uppsökt mig för att be mig vittna om tiden i Salpêtrière, om Charcot, om fredagsföreläsningarna, om min roll i detta, och om hans sista dagar och död. Varför frågar man då mig? Om detta med kvinnornas lott på Salpêtrière har många vittnat. Senast en beskäftig man vid namn Baudoin: han ville ha ett vittnesmål som bekräftade att allt varit ett bedrägeri, han fick det ej.

Alla tycks ha sett mig, ingen tycks ha sett mig.

Men om det allra sista finns inga skriftliga berättelser, inte om de sista dagarna, om resan till Morvan, och Charcots sista timmar. Nej, jag har fel, en enda finns. Jag har läst den, av en viss René Vallery-Radot, svärson till Louis Pasteur. Han var inte med på resan till Morvan, men tycks ha talat med de två vesslorna. Jag känner honom väl, en opportunist som av hänsyn till Charcots minne helt förtiger att jag deltog i resan, och förtiger min roll att rädda Charcot till livet.

Det gör mig ingenting. Jag ska själv snart dö. Döden avkortar mig, liksom amputationerna avkortar min kropp. Döden avkortar mig, men också mina ambitioner, mitt högmod.

Vad som var lycka bestämmer man ju i efterhand.

Jag har bestämt mig för att kalla Jean Martin Charcots och mitt förhållande för *historien om ett klassiskt kärlekspar*. Det gör kärleken lättare att uthärda. Förhöjer man smärtan blir den fruktansvärd, och dock uthärdlig, eftersom den på något sätt blivit historisk. Jag har sagt det till Marie. Hon betraktar mig då med förundran. Jag förstår henne. Denna beskurna torso i sin trälåda på hjul är kanske inte sinnebilden för evig kärlek.

Ett klassiskt kärlekspar. Alla borde tänka så. Man kan förvandla sig till ett klassiskt kärlekspar. Marie borde. Marie och Pierre. Marie och Paul. Blanche och Charcot.

Jag kunde aldrig tilltala honom med hans förnamn.

Varför tog han mig med på resan?

Alla visste att han var gift och hade tre barn och ärade och fruktade sin hustru, och ingen kände till min roll. Jag tror alla betraktade mig som den vackra Blanche som ingen, särskilt inte Charcot, fick röra, hon den vanmäktiga och dödsbringande. Det var föreningen av lust och död som lockade dem. Alla hade lust, ingen fick röra, alla visste att jag kunde döda, det förökade deras lust, det skyddade mig. Jag var känd för detta. Det var min främsta egenskap. Charcot visste bättre. Jag vill att du följer med, hade han sagt, jag är sjuk, jag har ont, angina pectoris, jag vet att jag ska dö, jag vill att du följer med.

Så påbörjade vi resan till Morvan.

Inte ville jag att man skulle vara rädd för mig.

Varför tvingade man mig? Det är inte rättvist.

Jag tänker mig ibland att om vi lägger våra kärlekar tätt intill varandra, jag menar min kärlek och Maries, då ska en bild av själva livet framträda, liksom i mellanrummet. Mitt liv, och Maries.

Det är så Marie också har tänkt. Ibland frågar hon om jag inte avundas henne. Jag stirrar då tyst på henne. Men jag antar att hon tänker på Salpêtrière, och jämför. Det är då jag säger detta med *klassiskt kärlekspar*.

Då brukar Marie skratta. Så går dagar och nätter.

Man kunde tänka sig en kärlek som bara var innesluten i en själv. Så brukar jag ofta tänka i stunder av desperation och melankoli. Som om man välte en glaskupa över livet. Kanske skulle det göra mindre ont då. Varför älskar du djur mer än människor, frågade jag en gång Charcot. Han blev upprörd, och förnekade. Älskar du mig mer än en hund, sade jag då.

Jag ville ju göra honom illa, för att få honom att förstå. Blanche, sade han, du är orimligt stark, och jag är rädd för dig. Men du får inte utnyttja svagheten hos en som älskar dig mer än han älskar livet.

Hur mycket älskade han då livet? Jag vet inte. Vi reste till Morvan.

3.

Vi var fyra personer som steg på tåget vid Gare de Lyon.

Två hade jag ej mött förut. Professor Debove och professor Straus hälsade också mig med viss vördnad, dock var denna ej så andaktsfull som deras vördnad för Charcot.

Varför resan! hade de frågat sin mästare. Men inget svar.

Själv förstod jag först senare varför Charcot företog

denna resa: han ville återuppsöka sin ungdom. Jag visste ej att han tillbringat många år i detta landskap, och särskilt i staden Vézelay. Vad söker du? frågade jag. Varför uppsöker man sin ungdom? frågade han då mig. Jag svarade *man gör detta ögonblicken innan man ger upp,* varvid de två övriga ledsagarna betraktade mig med upprördhet och förvåning. För att distrahera de båda motbjudande vesslor som satt bredvid oss i vagnen under den två timmar långa tågresan konverserade jag Charcot. Han hade en gång berättat om en incident vid Saint-Malo när hans bror befann sig i yttersta fara, jag frågade om broderns välbefinnande i dag, han såg på mig med ett plötsligt och överraskande uttryck av raseri, teg, men svarade några minuter senare: *man uppsöker sin ungdom för att allt måste hänga samman!*

En bro, tåget mycket långsamt över floden. *I en flod som denna tog jag farväl av min mor!* noterade jag med ett mjukt leende mot min vän, *så hänger detta samman!*

Jag ville ju honom inte illa. Jag försökte bara nå honom.

Vi gjorde ett kort uppehåll vid Château de Bussy, i fjorton år ett fängelse för författaren de Bussy, fängslad av Ludvig XIV på grund av sitt anstötliga författarskap. de Bussy hade målat på väggarna, klumpiga bilder, amatörverk, Charcot anmärkte att fängslade konstnärer ofta företer besynnerliga likheter med hysteriska eller spastiska patienter. Hans två kamrater antecknade denna anmärkning. Är jag då en konstnär? frågade jag.

Tecknar du groteska figurer på väggarna? genmälde han med ett egendomligt leende. Mina inre väggar är fyllda, jag har inristat teckningar med hjälp av en spik. Varför spik? frågade han. För att konst måste göra ont, svarade jag, han skrattade mjukt, hans två ledsagare professor Debove och professor Straus våldsamt. Så avslutades studiebesöket på författaren de Bussys slott.

Jag försöker nå in i honom. Jag har ont om tid, han har ont om tid. Så kan det bli. Ett helt liv av tvekan, och så plötsligt ska allting sägas.

Den tredje dagen nådde vi Vézelay, *detta liknar Perugia eller Siena,* anmärkte Charcot och förklarade att han där som ung läkare hade tillbringat ansenlig tid, hans ledsagare professorerna Debove och Straus antecknade detta yttrande, vi gick upp mot katedralen. Jag höll honom under armen. Ett ögonblick föresvävade det mig att vi båda var unga medicinstuderande och att jag kunnat hålla hans hand, men de två vessleliknande akademikerna som följde tätt efter oss, på ett avstånd av två till tre meter, gjorde detta omöjligt eller i varje fall mycket svårt.

Blanche, sade han med låg röst, vi går in i katedralen, den är tom. Min älskade, svarade jag med låg röst (och det var första gången jag använde detta uttryck, jag måste ha varit mycket trött eller exalterad), jag följer dig vart du vill.

Vi gick in.

Charcot gjorde mig uppmärksam på *narthex*, katekumenernas plats, och det fyrkantiga hål i basilikans mur som var platsen för de fattiga eller sinnessjuka; *de besatta ropa från väggarna och ingen hjälper dem,* sade han med ett egendomligt sorgset leende. Från denna plats, detta hål i den mäktiga stenmuren, kunde och måste de besatta höra och från altaret itrumfas lydnad, dock ej tillåtas se altaret som var alltför heligt för dem, *denna basilika är på detta sätt lik vårt auditorium på Salpêtrière där de besatta sjunga sina sorgesånger!* Jag vände mig, efter detta yttrande av Charcot, med ett, som jag tror, leende mot de båda vesslorna och bad dem anteckna att professor Charcot var ett altare. De skrattade ansträngt.

Jag ville inte vara elak.

Jag visste att någonting var fel, att något var på väg att hända, jag var rädd. *Dessa väggar äro skrämmande och tunga, som i ett citadell eller ett fängelse,* noterade Charcot, *man kan höra ropen från dessa murar, "olycka skall drabba dem som ej äga tro".* Jag frågade honom om han var trött och ville vila, han svarade ja, pekade på en bänk till vänster om *portico,* nu satte vi oss, han ville hålla min hand. *Vad har jag skapat under mitt liv, säg mig det Blanche, har jag skapat en basilika som denna, för dårarna, eller en sekt för dem som behöva tro?* De två vesslorna med sina anteckningsblock tycktes villrådiga. Charcot anvisade, med en handrörelse, plats åt dem på en bänk vid pass tjugo fot bortom oss, de satte sig där med åtbörder av förtvivlan. Blanche, viskade Charcot med nästan uttryckslöst ansikte, *det är så mycket du inte sagt, och som jag inte vet, vad vet jag om dig annat än att jag älskar dig, och att du stöter mig bort.*

Så väl jag minns hans ansikte. Det stela skalet, som var på väg att brista, och hans förtvivlan. Sedan sade han, med samma exakta och lugna röst, *jag har kommit till den uppfattningen att den inriktning mina forskningar om hysteri och neurologiska störningar hos kvinnor tagit de senaste åren har varit fullständigt felaktig, mitt koncept om hysteri känns nu dekadent, hela mitt antagande om nervsystemens patologi måste revideras, det är nödvändigt att börja om från början.*

De två vesslorna, professor Debove och professor Straus, böjde sig fram med samma uttryck av andlös förtvivlan som nyss, de kunde inte höra vad deras mästare sade, de gjorde inga anteckningar.

Endast jag.

Till mig sade han i denna katedral i Vézelay att han älskade mig, att jag hade bränts in i honom som brännjärn i ett oskyldigt djur, att jag stötte bort honom, att detta var på väg att döda honom, att hans tid snart var ute, att allting varit meningslöst, också hans forskning, och att han nu måste börja om från början; och ingenting av detta blev antecknat av de två observatörerna, jag avser då professorerna Debove och Straus, de båda vesslorna. Endast för sin privatsekreterare Georges Guinon, sade han, hade han nämnt sin återkomst till nollpunkten, och att allt varit förfelat.

Jag var på alla sätt ensam med honom, med min förtvivlan, min önskan att förstå sammanhanget, förstå hans kärlek, min skuld, och varför denna resa till Morvan skulle betyda hans död och min befrielse.

4.

Vi lämnade Vézelay på morgonen den 14 augusti 1893.

Vi åkte ut från staden, vi passerade ett gravfält, Charcot anmärkte endast, på italienska, *Campo santo*, han talade om en bok han läst föregående kväll av Guy de Maupassant, *det är så sorgligt, det är ett verk av en sjuk människa, världen är inte så ond som han skriver, det finns godhet.* Professorerna Debove och Straus antecknade dessa ord, och på frågan, ställd av en av dessa hans uppvaktande hyenor, om hans tro på Gud alltså var orubblig, skakade han endast sorgset på huvudet och svarade *finns han är han långt långt borta, och så vag, så oklar.*

De antecknade allt, utom det jag sade. De tycktes skrämda av mig.

När vi lämnade hotellet i Vézelay hade en man kommit fram till oss, gripit Charcots hand, kysst den, förklarat att han varit Charcots patient och nu var frisk, var konstnär, och ville tacka honom. Det gjorde ett motbjudande intryck på mig: som något från Bibeln, en lam som kunde gå, och som tackade sin Frälsare. Jag tillsade med hånfull röst Charcot detta, han var dock inte Jesus Kristus! han skyggade då till, som av ett slag, och nickade endast.

De två gamarna mumlade upprört.

Charcot satt i landån vid min sida, höll ibland min hand, trots att professorerna Debove och Straus satt mitt emot och med vördnad och upprördhet betraktade oss. Jag frågade dem om de någon gång sett en föreställning med mig, de svarade samstämmigt ja (nickade nästan på samma gång) – jag frågade då vad deras intryck var. Professor Debove svarade att han varit så upptagen av att nedteckna professor Charcots kommentarer, som ju hade så stort och unikt vetenskapligt värde, att han nästan inte kunnat lyfta blicken och därför inte ville kommentera mig och min del i skeendet. Hycklare, genmälde jag med vänlig röst, de antecknade inte denna kommentar, jag vände mig om, såg ett snabbt leende på Charcots läppar, vi kom ut på en bro. Förut endast färja.

Den gick över floden Cure. Jag drog häftigt efter andan.

Vi anlände vid 16.30-tiden till Auberge des Settons.

Charcot, som aldrig varit religiös utan tvärtom under perioder av sitt liv varit *intolerant*, talade under middagen därför om ämnena arkeologi, historia, de sköna konsterna, och botanik. Vad ska vi göra, frågade jag honom rakt ut, fullständigt negligerande de två notarier som satt vid vårt bord. Charcot befallde då professorerna Debove och Straus att ta en kvällspromenad runt sjön. De bugade instämmande och drog sig tillbaka, jag vet att de hade kunnat döda mig.

Det var den sista kvällen. Det var så det började.

Charcots rum på värdshuset Auberge des Settons var enkelt, ett bord, två stolar, en vattenkanna, ett handfat, någonting som jag bedömde som en tvättlapp, en säng. Ofta hade jag föreställt mig en plats att kalla *kärlekens rum* som renare, inte så slitet, kanske inte ett större rum men större i känslan, renare! Detta rum skulle vara oklart möblerat, kanske med en säng, kanske en sänghimmel, jag hade föreställt mig ett slags ljus men utan ljuskälla, eller ett mörker som inte utestängde de två älskande från varandra.

Charcot bad mig komma till sitt rum. Jag kom in.

Han hade satt sig på sängen, hans rygg var böjd, han såg ner i golvet, han teg.

Jag frågade om han hade smärtor. Han skakade endast på sitt huvud.

Skymningen hade fallit där ute. Jag öppnade en dörr till en garderob, hängde in hans kläder, fann en ljusstake och ett ljus. Tänd inte, sade han, jag tände, satte ljuset på bordet. Han började med låg röst tala om minnen han hade från Salpêtrière, nämnde någon vid namn Jane Avril, han trodde ej att jag mindes henne, berättade om denna unga flicka vid namn Jane Avril som arrangerat, eller deltagit i, en dansuppvisning, en Danse des Fous som förändrats och blivit *existentiell.* Hon hade plötsligt befriat sig från tyngd och historia och smuts, *som om undret varit möjligt.* Han hade, när han såg henne, gripits av något som liknade yrsel. Och under dansen, där egendomliga steg och rörelser verkade födas ur ingenting, hade hon plötsligt framstått som bilden av människan befriad från sina bojor, befriad från sina förutsättningar. Som om hon alls ej varit en maskin utan förstått att man kunde välja sitt liv, och dansa in i ett nytt.

Som om hon varit *en fjäril som flytt ifrån himlen,* insköt jag då.

Han såg överraskad upp på mig. Jag kände henne väl, sade jag till honom. Nog kände jag Jane Avril. Och jag minns dansen. Jag viskade den gången till henne att hon dansade som vore hon en fjäril som flytt ifrån himlen. Varit rädd, velat leka med oss. Jag hade kunnat gråta, eller döda henne, sedan försvann hon, var det mitt fel?

Vart tog hon vägen, frågade Charcot.

Vart tar de vägen, alla dessa fjärilar som är befriade, jag vet inte, de fladdrar väl tillbaka till sina burar, svarade jag. En fjäril lever ej i bur, genmälde Charcot. Jag har hört att hon dansar ännu, svarade jag, hon försöker väl minnas och hitta tillbaka, jag fruktar att dansen har förstelnats, inte längre är en fjärils. Hitta tillbaka till vad? frågade han. Till det korta ögonblicket när allting var möjligt, och innan hon visste sämre.

Det är kanske som kärleken.

Jag stod vid fönstret med ryggen mot honom, han satt ännu på sängen. Det var mörkt där ute. Jag föreställde mig de två notarierna som två gnomer vandrande runt sjön, jag kunde inte se dem, inte se sjön och inte professor Debove och professor Straus. Jag har inte ont, hörde jag honom säga inifrån rummets dunkel, som till sig själv. Han satt ännu på sin säng med hängande armar.

Fint, var det enda jag kunde svara.

Men jag har ont om tid, sade han då med så låg röst att jag nästan inte hörde.

Varför tog du med mig, frågade jag.

Varför kom du med, sade han.

5.

Jag hade satt det enda stearinljuset på ett bord vid sängens kortända, det fladdrade, det var nu helt mörkt där ute.

Det mörker som fanns i rummet fladdrade också, vi delade detta mörker. Hans ansikte var vitt och ångestfullt, han upprepade att han inte hade smärtor, pressade samtidigt handen mot sitt bröst, han var rädd. Jag klädde av honom, jag frigjorde klädesplaggen från hans överkropp, lutade honom tillbaka mot kudden, han andades med öppen mun. Hans hud var slät, och mjuk som ett barns, med mina fingrar redde jag hans hår som råkat i oordning, och lossade lätt på livremmen så att han kunde andas befriat. Rummet var varmt, nästan kvävande varmt, jag öppnade ett fönster på glänt.

Jag har inte ont, upprepade han ånyo, som en besvärjelse.

Var inte rädd, sade jag.

Varför skulle jag inte vara rädd, viskade han, jag vet att det är ont om tid, jag har ont om tid, sedan är det svart, ingenting. Som sömn, viskade jag tillbaka, jag strök min hand lugnande genom hans hår. Nej det blir inte ens som sömn, det vet jag, när jag sover omges jag av drömmar, då är jag inte ensam, det är ett mörker befolkat av varelser, ibland dansande gestalter; när jag vaknar kan jag ofta minnas. Men jag är aldrig ensam när jag drömmer. När jag är död kan jag inte söka tröst i drömmar, det finns inget dansande mörker.

Inte ens en dansande fjäril? viskade jag.

Nej inte ens det! inga otydliga dansande gestalter. Jag vet att det inte finns någon Blanche som kommer emot mig och ler och rör vid mig med sin hand och stryker min kind. När jag är död är det svart och drömlöst. Det är det som skrämmer mig. Att du inte längre kan drömma om mig? Ja det också. Och allting som är för sent! att du försvinner i mörkret och aldrig har funnits egentligen. Fast det har varit så nära att du funnits. Att jag levt ett helt liv intill dig, dag och natt, och att det bara är i drömmen du rört vid mig, och nu står jag intill ett stup och där är det alldeles svart.

Ingen Blanche?

Ingen Blanche, ingenting.

Jag reste mig, stängde fönstret. Kanske var det redan midnatt, inga ljud från vind genom träd. Inga röster. Gnomerna hade säkert återvänt och sov sin förbittrade sömn. Det var bara vi. Han var rädd, jag önskade att jag kunde ta honom i min famn och lyfta upp honom, som en hundvalp, och göra honom trygg. Jag visste att jag älskade honom, jag visste att han skulle dö, vad gör man med en älskad som ska dö när ett helt liv har gått, och man inte gjort det man kunnat göra. Jag hörde hur han andades, tungt, hans nakna överkropp tycktes väldig och vit, han hade ingen hårväxt på sin överkropp, han var slät som ett barn. Vad är svaret, viskade han. Vad skulle jag säga? Jag trodde du hade svaret på allting, sade jag. När du stod i Auditoriet och talade hade du svar, vad har hänt?

Han svarade inte.

Jag vände mig om, lämnade fönstret som inte längre tjänade som ursäkt att inte se på honom. Jag ville inte visa att jag grät. Jag tyckte alltid att din röst var så vacker, sadc jag tätt intill hans öra, när jag föll in i medvetslöshet eller *Gurneys djupa stadium*, eller *Azams* eller *Solliers*, du hör, jag har lärt mig! då hörde jag ändå alltid din röst intill mig. Jag ville inte förstå vad du sa, men din röst, den lät så ung, det var som rösten hos en ung brunbränd pojke som stod i vattnet upp till sina knän. Förstår du? Så vacker var den. Jag förstod inte vad du sa, det var otydligt, men du var ung som i en dröm. Som i en dröm? viskade han. Ja, som i en dröm.

Men om allt bara blir svart? Och helt tomt? Och jag aldrig mer kan ta dig med mig, Blanche, inte ens som en dröm? Jag är så rädd, viskade han, ingenting kan jag ta med mig. Inte dig. Jag är så rädd att aldrig mer ens kunna drömma om dig.

Ljuset brann nu helt stilla rakt upp, han låg med ögonen slutna. Han såg så barnslig ut. Jag lade mig ner intill honom. Jag tryckte mig mot hans sida, jag hörde att han häftigt drog efter andan. Var inte rädd, sade jag. Jag är här. Jag ska vara med dig i evigheters evigheter. I evigheters evigheter?

Ja, alltid. I all tid.

Hur länge sedan var det du kom till mig, Blanche? Sexton år. Och nu? Hur länge blir du kvar, Blanche?

I evigheters evigheter.

Jag rörde med min hand över hans bröst, lätt, fjäderlätt, minns du, viskade jag, minns du punkterna? Jag rörde vid punkterna, han andades med öppen mun. Här vid halsen, du märkte ut punkter med en penna, vid de hysterogena zonerna, här, nyckelbenen, under bröstet. Sidan. Du vågade aldrig röra vid mig med din hand. Varför vågade du aldrig röra vid mig?

Du var helig.

Helig?

Rör dig inte, viskade jag. Ligg stilla. Jag är inte rädd, jag vågar röra vid dig, du är inte helig, jag är inte helig. Och du är inte rädd. Jag rörde handen i mjuka lätta rörelser över hans bröst, hans hals, han andades lugnare nu. Är du inte längre rädd? Nej, viskade han, jag är inte rädd. Och du hör min röst? Ja, sade han, jag hör din röst. Står man vid ett stup, viskade jag, och allt är svart där nere, då får man inte stå ensam, då står jag intill dig.

Står du intill mig?

Ja, det är alldeles mörkt men vi delar mörkret, det är det som är kärleken, du är inte rädd.

Jag är inte rädd.

Det är fint, viskade jag. Huden på hans armar och bröst och hals rörde vid min hand, hans hud var fin och len. Jag hörde hur han andades lugnt, ljuset fladdrade inte, allting var varmt, jag reste mig.

Jag klädde av mig.

Han blundade som ett barn, såg mig inte, jag klädde av mig i stearinljusets sken. Här är jag, naken, sade jag intill hans kind, rör dig inte, jag är här, var inte rädd. Jag klädde av honom det sista. Han rörde sig inte. Jag lade mig intill honom. Rör dig inte, sade jag.

Men min hand rörde vid honom.

Han ville säga något, men jag tystade honom. Var tyst. Stilla. *Och jag viker aldrig från din sida.*

Ljuset brann med allt mindre låga, han blundade inte längre, och var inte rädd. Han såg på mig så intensivt som ville han att mina ögon skulle brännas in i honom för alltid, i evigheters evigheter. Jag rörde vid hans kropp, vid hans lem, han flämtade till, han var redo, han låg stilla, jag såg ner på hans ansikte, jag gled in i honom.

Rör vid mig, viskade jag. Och så vågade hans hand röra vid min rygg.

Jag rörde mig långsamt. Vi andades båda lugnt. När det var över låg jag länge med kinden mot hans och han viskade; jag hörde hans ord men förstod inte innebörden, det var som ett barn som snart ska börja tala, någon mycket nära ett språk, ännu inte framme. Jag gled ner från honom, låg vid hans sida.

Har du ont, frågade jag. Aldrig mer, svarade han efter en stund, jag förstod, frågade inte mer.

Ljuset brann ner, det blev mörkt, jag låg kvar vid hans sida, han höll min hand i sin, plötsligt kände jag hur hans grepp hårdnade. Han böjde sig upp från sängen som i en båge, jag såg hans ansikte från sidan, smärtan slet upp hans mun. Så sjönk bågen samman, smärtan försvann, han låg stilla.

Jag höll min hand över hans mun. Jag kände ingenting, inga andetag, han andades inte längre. Smärtan hade försvunnit från hans ansikte, och från hans kropp, han låg alldeles stilla.

Han såg behändig ut. Varför skulle jag gråta? Jag hade ju lovat att aldrig vika från hans sida. Jag låg kvar vid hans sida.

Det blev gryning. Jag höll hans hand i min.

När det var dag klädde jag mig, arrangerade hans viloläger på det att hans vänner och beundrare icke skulle taga anstöt, och så gick gick jag ut till dem och berättade att professor J.M. Charcot var död.

Vi förde honom i kista tillbaka till Paris; ingen av dem talade till mig, det gjorde ingenting.

Varför skulle de tala till mig?

Man placerade hans kista i kapellet i Salpêtrière, och de intagna på sjukhuset kunde där i en procession av sörjande hedra honom, och visa sin sorg. Flera tusen av de intagna passerade långsamt, många av dem bars på bår.

Jag hämtade en stol och satte mig intill kistan, betraktande de sörjande som passerade förbi oss. Jag höll min hand på kistan så att han skulle veta att jag fanns där och inte svek mitt ord. De ansvariga kom då fram till mig och sade att det var opassande att jag satt där.

Jag rörde mig inte. Och så lät de mig vara i fred tillsammans med honom.

Coda

(utgångspunkter)

Man reste en staty i full mansstorlek över Jean Martin Charcot, den gjordes i brons, den stod framför ingången till Salpêtrièresjukhuset, den stod där länge. När tyskarna intog Paris under andra världskriget blev dock bristen på metall för krigsindustrin stor: 1942 togs då statyn bort av de tyska ockupanterna, smältes ner, och användes till produktion av lättare luftvärnskanoner.

Sedan dess finns ingen staty av Charcot framför porten till Salpêtrière.

De tre kvinnornas sista möte: det var på våren 1913, det var Jane Avril, Blanche Wittman och Marie Curie. De två andra rullade ut Blanche i hennes kärra, placerade henne på terrassen. Sedan tog de stolar, satte sig intill henne, och samtalade. Jane hade frågat hur Marie nu hade det, hon hade smålett och sagt *ja, jag får i alla fall behålla maten.*

De hade alla börjat skratta. De hade suttit ute på terrassen, Marie, Blanche och Jane, och det hade varit så stillsamt och fint, och de hade tyckt så mycket om varandra.

Månaden efter avled Blanche.

Terrassen. Träden. Löven.

Marie Skłodowska Curie begravdes på kyrkogården i Sceaux, i samma grav som sin make Pierre.

Dennes far Eugène Curie hade dött 1910 och fått sin kista placerad över sonens. Marie befallde några år senare, efter en personlig kris, att graven skulle grävas upp och Eugène Curies kista ställas underst, eftersom Marie beslutat att hennes kista skulle placeras i direkt anslutning till maken Pierres.

Hon ville inte ha något emellan dem.

Så blev det. När Marie dog – den 4 juli 1934, av en aplastisk perniciös anemi med ett snabbt och febrilt förlopp, där benmärgen ej reagerat, troligen på grund av skador från en långvarig ackumulerad strålning – sänktes hennes kista ner över Pierres, på den lilla kyrkogården i Sceaux. Familjen, samt fem vänner, var de enda som deltog i ceremonin, som kraftigt kritiserades av tidningen Le Journal, en av de franska tidningar som aldrig förlåtit henne. Begravningens enkelhet var *ett tecken på Marie Skłodowska Curies oöverträffade högmod, som yttrade sig i form av frivillig utplåning, av vägran att ta emot hedersbetygelser, av en överdriven anspråkslöshet.*

En av de fem var Paul Langevin. Tjugofyra år hade gått sedan de älskat sista gången. Amor Omnia Vincit, stod det på en av kransarna, det var inte hans, ingen vet vem som sänt den. Blanche var död sedan tjugo år. Jag har bestämt mig för att tro att det ändå var från henne den kom.

Ingen vet var Blanche är begraven.

ETT TACK

Det här är en roman. Jag har använt faktamaterial för att skriva just en roman och avstår därför från att katalogisera de arbeten jag utnyttjat. Beträffande Curiematerialet vill jag ändå nämna Evelyn Sharps "Hertha Ayrton", Marguerite Borels "A travers deux siècles. Souvenirs et rencontres", Karin Blancs "Marie Curie et le Nobel" och framför allt Susan Quinns grundläggande avhandling "Marie Curie – A Life", speciellt för hennes genomgång av Langevin-tragedin. Ett särskilt tack till min dotter Jenny Gilbertsson, som gjorde researchen av det omfattande Charcot-materialet. För det sätt på vilket jag använt allt detta i boken om Blanche och Marie är bara jag själv ansvarig.

P.O.E.

Av Per Olov Enquist har tidigare utgivits:

Kristallögat 1961
Färdvägen 1963
Magnetisörens femte vinter 1964
Sextiotalskritik 1966
Hess 1966
Legionärerna 1968
Sekonden 1971
Katedralen i München 1972
Berättelser från de inställda upprorens tid 1974
Tribadernas natt 1975
Chez Nous (tills. med Anders Ehnmark) 1976
Musikanternas uttåg 1978
Mannen på trottoaren (tills. med Anders Ehnmark) 1979
Till Fedra 1980
En triptyk 1981
Doktor Mabuses nya testamente (tills. med Anders Ehnmark) 1982
Strindberg. Ett liv 1984
Nedstörtad ängel 1985
Två reportage om idrott 1986
Protagoras sats (tills. med Anders Ehnmark) 1987
I lodjurets timma 1988
Kapten Nemos bibliotek 1991
Dramatik 1992
Kartritarna 1992
Tre pjäser 1994
Hamsun 1996
Bildmakarna 1998
Livläkarens besök 1999
Lewis resa 2001
De tre grottornas berg (barnbok) 2003